GNÁS NA FÉILE BRÍDE

GNÁS NA FÉILE BRÍDE

Seán Ó Duinn PhD

Foilseacháin Ábhair Spioradálta

Baile Átha Cliath

An Chéad Chló 2002

Bord na Leabhar Gaeilge   Tá *Foilseacháin Ábhair Spioradálta* buíoch de Bhord na Leabhar Gaeilge as tacaíocht airgid a thabhairt dóibh.

Clóchur agus Clúdach: Daire Ó Beaglaoich, Graftrónaic
Clódóirí: ColourBooks Ltd

ISBN 0-9540753-6-6

CLÁR

RÉAMHRÁ

Samhlaíonn údar Bheatha Bhríde sa Leabhar Breac anam
Bhríde a bheith mar ghrian ag lonradh i gcathair neimhe idir
aingil agus ardaingil in éineacht le Ceirifín, agus Saraifín, in
éineacht le Mac Mhuire, in éineacht leis an Tríonóid Naofa,
mar atá an tAthair, an Mac agus an Spiorad Naomh.
Cuireann sé guí chráifeach leis an bhfís seo, á rá:
Achainím trócaire an Tiarna,
trí impí Naomh Bríd, go sroichimíd an
aontacht sin in 'saecula saecolorum'."
(Stokes. 1877, 86)

Is aisling dheireadh ré an ráiteas misticiúil seo a bhain leis an
alltar ach go háirithe, ach dóibh siúd atá fós ag sracadh Ie
gnáthshaoI an cheantair tá teachtaireacht faoi leith i mbeatha
Bhríde a thugann sólás dóibh ina ndeacrachtaí:
"Is í fhortaíos do gach aon a bhíos i gcuinge
agus i nguasacht. Is í a thraoitheas na
teidhrneanna. Is í a thoirneas na
teidhmeanna. Is í a thoirneas fearg agus anfa
na mara. Is í bantairngire Chríost í. Is í ríon
an deiscirt í. Is í Muire na nGael í.
(Beatha Bhrighdi, línte 1703-5)

I mBríd tagann an dá ghné le chéile – an tsíoraíocht agus an aimsireacht – agus feictear í mar bhanlaoch ag treascairt deamhan agus cumhachtaí an oilc chun an duine a threorú thar dhroichead baolach an tsaoil seo go dtí tír shoilseach na bhflaitheas.

I ndiaidh achoimre ghairid a dhéanamh ar bheatha Bhríde faoi mar a léirítear í sna Beathaí éagsúla rachaimid ar aghaidh go dtí príomhchuspóir an tsaothair seo, 'sé sin le rá gnása na Féile Bríde a phlé.

Ós rud é go bhfuil Bríd mar dhroichead idir an saol thall agus an saol abhus ní haon iontas é go raibh a hainm in airde agus a clú scaipthe i gcéin is i gcóngar. Mar a deir an dán:

> Gabhaim molta Bhríde,
> Ionmhain í le hÉirinn;
> Ionmhain le gach tír í,
> Molaimis go léir í.
>
> **(Mac Giolla Chomhaill, 1984, 29)**

Is é cuspóir an tsaothair seo scrúdú a dhéanamh ar an tslí a mhol muintir na hÉireann Bríd i ngnása dúchais lá a féile. Sa leagan de Bheatha Bhríde sa Leabhar Breac **(Stokes, 1877, 50-87)** tugtar cuntas ar a saol atá thar a bheith iomlán agus ina bhfuil míreanna éagsúla a bhaineann leis an réamhChríostaíocht, de réir cosúlachta, le haireachtáil go tiubh. Cé nach bhfuil an Bheatha seo chomh hársa le leagan Cogitosus **(JRSAI, Vol. 117, 5)** ceaptar go bhfuil a meon cóngarach do mheon an daonchultais a d'eascair i measc an phobail i leith Bhríde. Dá bhrí sin, baintear úsáid as an leagan sin mar bhunús don achoimre a thugtar ar eachtraí a saoil.

Ba iníon le Dubhthach mac Dreimne Bríd. B'amhlaidh a cheannaigh Dubhthach cumhal darbh ainm Broicseach, iníon le Dallbhrónach de Dhál Chonchúir i ndeisceart Bhreagha. Phós Dubhthach an chumhal agus d'éirigh sí torrach uaidh. Bhí fearg ar bhean Dhubhthaigh – Breachnat a hainm – agus bhagair sí air go n-imeodh sí uaidh mura ndíolfadh sé Broicseach i bhfad i gcéin. Ach ní raibh fonn dá laghad ar Dhubhthach a chumhal a dhíol.

Lá amháin agus Dubhthach agus an chumhal ag gabháil thar theach draoi áirithe chuala an draoi fothram an charbaid agus tháinig sé chucu. Rinne an draoi tairngreacht á rá go mbeadh iníon amhra uasal acu agus go mbeadh a clú agus a cáil i mbéal an phobail de bharr a gníomhartha agus a buanna.

Ina dhiaidh sin chuir Dia beirt easpag – Mel agus Melchú – chuig Dubhthach agus nuair a fuair Mel cúis fhearg Bhreachnatan amach dúirt sé léi go mbeadh a síolrach ag freastal ar shíol na cumhaile, ach mar sin féin go ndéanfadh sí maitheas dá sliocht.

Ansin tháinig draoi eile an tslí agus thug na heaspaig comhairle do Dhubhthach an chumhal a dhíol leis ach gan an leanbh a bhí ina broinn a reic. Rinne Dubhthach amhlaidh agus thóg an draoi a bhean abhaile leis.

Tamall ina dhiaidh sin, áfach, cheannaigh file nó draoi eile ó chríoch Chonaille an chumhal. Rinne seisean fleá mhór do rí Chonaille agus tharla ag an tráth sin go raibh an ríon ar tí leanbh a thuismiú. Cuireadh ceist ar fháidh a bhí i láthair i dtaobh uair mhaith don bhreith ríoga. Dúirt an fáidh go mbeadh bua thar barr ag an leanbh a shaolófai amárach le héirí gréine. Saolaíodh leanbh na ríona roimh an tráth ámharach sin, áfach. Mac a bhí ann agus bhí sé marbh.

Chuir an file ceist ar an bhfáidh ansin mar gheall ar leanbh na cumhaile. Dúirt an fáidh: *"An leanbh a thuismeofar amárach le héirí gréine agus gan a bheith taobh istigh ná taobh amuigh de theach sáróidh sé gach leanbh in Éirinn"*.

Tharla ansin, le héirí gréine, go raibh an chumhal (Broicseach) ag gabháil isteach i dteach agus leastar leamhneachta ina láimh aici. Bhí cos amháin thar an tairseach aici agus an chos eile ar an taobh amuigh nuair a thuismigh sí Bríd. Nigh na cailíní aimsire an leanbh agus an mháthair leis an mbainne a bhí sa soitheach. Rugadh Bríd, Dé Céadaoin, ar an ochtú lá den ghealach i bhFochairt Mhuirthemhne.

Tugadh Bríd ansin go dtí an áit ina raibh leanbh marbh na ríona agus nuair a shroich anáil Bhríde é d'éirigh sé beo beathach. Chuaigh an draoi agus Broicseach agus Bríd chun cónaí ansin i gCúige Chonnacht.

Lá amháin chonacthas do mhuintir na háite go raibh an teach ina raibh an leanbh Bríd trí thine. D'imigh siad de ruathar chun an tine a mhúchadh ach chonaic siad ansin nach raibh tine ar bith ann. Dúirt siad dá réir go raibh an leanbh lán de rath an Spioraid Naoimh.

Uair amháin agus an draoi ina chodladh chonaic sé triúr cléireach, 'sé sin le rá triúr aingeal, in éadaí geala ag teacht agus ag doirteadh ola ar cheann Bhríde chun ord an bhaiste a chríochnú. Dúirt an triúr cléireach leis an draoi an t-ainm Bríd a chur ar an leanbh.

Ní bhíodh Bríd ag glacadh leis an ngnáthbhia a thugtaí di. Dá bhrí sin fuair an draoi bó fhionn órdhearg di agus d'óladh sí bainne na bó sin.

D'fhás Bríd go hóige agus tháinig feabhas agus tórmach ar gach uile ní faoina cúram. Thug sí aire do na caoirigh, do na daill, do na bochtáin.

Thug an draoi Bríd ar ais dá hathair Dubhthach agus d'fhill an bheirt acu ar chríoch Uíbh Fhailí. Tharla go raibh a buime tinn ag an am sin. Rinne Bríd deoch leighis di as uisce agus blas coirme air agus tháinig an bhuime slán as an ngalar.

Tháinig aíonna chuig Dubhthach. D'ullmhaigh Bríd cúig ghiota feola dóibh. Tháinig cú ocrasach an tslí agus thug sí ceann de na giotaí dó. Agus é sin ite aige thug sí píosa eile dó. "An bhfuil na giotaí go léir agat?", arsa Dubhthach léi. "Áirigh iad," ar sise. Rinne sé amhlaidh agus bhí na píosaí go léir ann. "Is iomaí míorúilt ag an gcailin sin," arsan t-athair.

Uair amháin chuaigh Bríd go dtí comhthionól sheanad Laighean. Tharla go raibh fís roimh ré ag fear naofa ina bhfaca sé Muire ag teacht go dtí an tionól. Nuair a tháinig Bríd i láthair dúirt an fear:

"Is í sin an Mhuire a chonaic mé in aisling." Tugadh *'Muire na nGael'* uirthi as sin amach.

Gan cead a hathar d'imigh Bríd go dtí a máthair a bhí ina cumhal fós i gConnachta agus í bocht breoite. Ghlac sí le cúraimí a máthar agus bhíodh sé mar nós aici ag an maistreadh an t-im a roinnt i ndá chuid déag in onóir na nAspal agus moll mór de in onóir Mhac Dé. Cé go mbíodh sí ag tabhairt an ime do na boicht ní bhíodh aon laghdú ag teacht air. *"Ba é Críost agus a dháréag aspal a rinne an soiscéal a fhógairt do dhaoine an domhain"*, a dúirt Brid, *"Is ina ainmsean a shásaim na bochtáin, mar bíonn Críost i bpearsa gach bochtán iriseach."* I ndeireadh na dála chuir míorúiltí Bhríde an oiread sin iontais ar an draoi agus ar a bhean gur ghlac an draoi leis an gCríostaíocht. Thug sé tréad bó do Bhríd agus saoirse dá máthair. D'fhill Bríd agus Broicseach a máthair go dtí Dubhthach arís.

Ní raibh Dubhthach ró-shásta leis an socrú sin, áfach. B'olc leis a chuid maoine a bheith ag imeacht uaidh chuig na boicht mar b'shin é an rud a bhíodh ag tarlú agus Bríd faoina dhíon. Bheartaigh sé, dá bhrí sin, Bríd a dhíol le Dúnlaing Mac Énda, Rí Laighean, chun arbhar a mheilt ar an mbró.

Chuaigh Bríd lena hathair go dtí dún an rí i gcarbad. Ar shroichint na háite dóibh chuaigh Dubhthach isteach sa dún chun bualadh leis an rí agus d'fhág sé Bríd agus a chlaíomh sa charbad. Fad a bhí Dubhthach istigh tháinig lobhar an tslí ag iarraidh déirce agus thug Bríd claíomh a hathar dó.

Bhí Dubhthach ar buile nuair a fuair sé amach go raibh a chlaíomh imithe agus thug sé Bríd isteach sa dún chun bualadh leis an rí. Chuir an rí ceist uirthi an scaipfeadh sí a mhaoin féin i measc na mbocht faoi mar a bhí á dhéanamh aici le maoin a hathar. Níor thug Bríd aon sásamh dó. Dúirt sí go dtabharfadh sí maoin uile Laighean do Rí an nDúl dá mba rud é go raibh sí aici. Dúirt an rí go raibh luach Bhríde níos airde i súile Dé ná i súile daoine. Thug sé claíomh le dorn eabhair do Dhubhthach thar ceann Bhríde agus lom láithreach thug sé a saoirse di.

Chuaigh Bríd agus ógha eile léi go Telcha Mide chun an chaille a fháil ón Easpag Mel. Tharla, trí rath an Spioraid Naoimh, gur léadh Ord Oirniú Easpaig os cionn Bhríde.

Dúirt Mac Caille nár cheart grád easpaig a bhronnadh ar bhean. Dúirt an t-easpag Mel áfach *"Níl neart againn air, óir is ó Dhia a tugadh an onóir sin di thar aon bhean eile."* Dá réir sin, tugann fir na hÉireann onóir easpaig do chomharba Bhríde.

Ba ar an ochtú lá den ghealach a rugadh Bríd; ghabh sí an chaille ar an ochtú lá déag; d'imigh sí ar neamh ar an ochtú lá fichead. Coisriceadh í in éineacht le hochtar ógh agus rinne sí a saol a chomhlíonadh de réir na n-ocht mbiait.

Le haon mhiach braiche amháin d'éirigh le Bríd, trí mhíorúiltí, coirm a sholáthar do sheacht n-eaglaisí Fhir Thulach do Dhéardaoin Mandála agus d'ocht lá na Cásca.

Chuaigh Bríd uair amháin go dtí eaglais i dTeathbha do cheiliúradh na Cásca. Déardaoin Mandála nigh sí cosa na ndaoine san eaglais. Ina measc tharla go raibh ceathrar a bhí tinn go dona. Leigheas Bríd an ceathrar.

Chuaigh Bríd go dtí Dúnlaing, Rí Laighean, chun dhá aisce a fháil uaidh. Gheall sí dó ríocht neimhe dó féin mar chúiteamh. Ba bheag an aird a thug an rí ar na geallúintí sin, áfach. *"Flaitheas neimhe ní fheicim,"* ar seisean, *"agus níl eolas air ag éinneacht. Dá bhrí sin, ní lorgaim é in aon chor. Maidir le ríocht do mo mhic ní lorgaim é ach an oiread mar ní bheidh mé féin ann. Ach tabhair saol fada i mo ríocht dom agus an bua a fháil ar mhuintir Uí Neill i gcogadh agus go mór mór sa chéad chath ina gcoinne chun misneach a thabhairt dom sna cathanna eile."* Comhlíonadh é sin nuair a fuair an rí an bua ar mhuintir Uí Néill i gCath Lochair **(70)**. Scaipeadh clú agus cáil Bhríde ar fud Éireann mar gheall ar na míoriúltí go léir a rinne sí agus míorúilti leighis go háirithe.

D'imigh Bríd go críoch Fhear Ros agus d'iarr ar rí Fhear Ros cime áirithe a scaoileadh saor. Dhiúltaigh an rí di ach thug sé cosaint an phríosúnaigh di ar feadh aon oíche amháin. Taispeánadh Bríd dó agus dúirt sí leis an t-iomann *'Nunc populus'* a ghabháil nuair a scaoilfí an slabhra agus ansin casadh ar a láimh dheas agus imeacht ar nós na gaoithe. Rinne an cime amhlaidh agus d'éalaigh sé ón ngéibheann.

Lá amháin agus Bríd ag taisteal i Magh Laighean bhuail mac léinn léi agus é ag rith. *"Cá bhfuil tú ag dul agus tú ar sodar?"* arsa Brid. *"Táim ag dul ar neamh,"* arsan mac léinn. Ghabh Bríd an 'Ár nAthair' leis agus b'eisean (Ninnid Lámh-Idan) a thug an chomaoin Naofa do Bhríd níos déanai.

Chuaigh Bríd go dti an tEaspag Íobhair chun go marcálfadh sé amach a cathair di. Tháinig siad go dtí an áit ina bhfuil Cill Dara anois. Tharla ag an tráth sin go raibh Ailill Mac Dunlainge ag dul trí Chill Dara le céad ualach eich ag iompar cuaillí adhmaid. Tháinig beirt bhan ó Bhríd amach agus d'iarr siad roinnt de na cuaillí ar Ailill ach dhiúltaigh sé dóibh. Leis sin, greamaíodh na heacha den talamh agus ní raibh siad in ann bogadh. Bhí ar Ailill an t-iomlán a thabhairt do Bhríd agus ba leis an adhmad sin a thóg sí a mainistir i gCill Dara. Mar chúiteamh dúirt sí go mbeadh flaitheas Laighean ag sliocht Ailill go brách.

Uair amháin thug Bríd bó an duine do bheirt lobhar. Bhí duine díobh uaibhreach agus thosaigh sé ag maslú Bríde. Ag dul trasna na Bearbha dóibh d'éirigh an abhainn ina gcoinne. D'éirigh leis an gclamh umhal agus a bhó dul trasna na habhann gan díobháil ach bádh an duine eile.

Tháinig ríon Laighean chuig Bríd agus thug slabhra airgid di mar íobairt. Thug Bríd an slabhra dá hógha agus chuir siad i dtaisce é i ngan fhios di mar bhíodh sí i gcónaí ag tabhairt rudaí do na boicht. Tháinig lobhar an tslí, áfach; fuair Bríd an slabhra agus thug sí dó é. Bhí na hógha go feargach agus go searbh nuair a fuair siad amach go raibh an slabhra imithe. *"Is beag tairbhe dúinne do thrócaire ar gach éinneacht"* a dúirt siad, *"agus bia agus éadach de dhíth orainn féin."* "Tá sibh go holc," arsa Bríd, *"téigí san eaglais san áit ma mbímse ag guí agus gheobhaidh sibh bhur slabhra."* Rinne na hógha amhlaidh agus bhí an slabhra ann cé go raibh sé gafa ag an lobhar.

Uair amháin, tháinig seacht n-easpag chuig Bríd agus ní raibh aon bhia aici dóibh. Rinne sí na ba a chrú don tríú huair agus bhí flúirse bainne acu. (80) Uair eile bhí meitheal mór aici ag baint an fhómhair. Thosaigh sé ag cur fearthainne ar mhaigh

Life ach trí ghuí Bhríde níor thit oiread is braon amháin ar a gort féin.

Chuala Bréanainn in iarthar na tíre trácht ar mhíorúiltí Bhríde agus tháinig sé chun cainte léi. Tháinig Bríd isteach óna cuid chaorach chun fáilte a chur roimhe. Chroch sí a cochall fliuch ar léas gréine agus d'fhan sé ann faoi mar a bheadh sé ar crochadh ó dhrol. Dúirt Bréanainn lena ghiolla an cleas céanna a dhéanamh lena chochall féin ach thit sé ar an talamh faoi dhó. Rinne Bréanainn féin an cleas go feargach don triú huair agus d'fhan sé ann an babhta sin. Ansin d'admhaigh an bheirt acu faoi seach staid a n-anama dá chéile: *"Ní gnáth domsa dul thar seacht n-iomaire gan mo mheanma i nDia,"* arsa Bréanainn. *"Ón tráth a chuir mé mo mheanma i nDia níor thug mé as riamh í,"* arsa Brid.

I ndiaidh mórán cealla a bhunú agus tar éis miorúiltí agus gníomhartha trócaire a bhí chomh flúirseach le gaineamh na mara nó le réaltaí na spéire a dhéanamh, tháinig Bríd go críoch a saoil naofa. Ba staonach í, b'fhial í, b'fhoighneach í. B'áthasach í i dtiomnaí Dé. Ba stuama í. B'umhal í, ba mhaiteach í, ba charthanach í, ba chófra coisricthe do Chorp Chríost í, ba theampall Dé í, ba ríshuíochán tairiseach don Spiorad Naomh a croí agus a meanma. Tá sí mar cholm i measc na n-éan, mar fhiniúin i measc na gcrann, mar an ghrian i measc réaltaí neimhe.

Tháinig Ninnid Lámh-Idan ón Róimh agus thug an Chomaoin Naofa di agus ansin d'imigh a spiorad ar neamh. Caomhnaítear a taisí ar talamh le mór-onóir agus le hoireachas.

Ní féidir a rá gur beathaisnéis le sonraí stairiúla ar nós bheathaisnéis an lae inniu atá i mbeatha Bhríde sa Leabhar Breac. Leagann an chuid is mó de na beathaí béim ar na míorúiltí a rinne Bríd i rith a saoil agus is cosúil gurbh é an príomhchuspóir a bhí ag na scríbhneoirí éagsúla ná cultas Bhríde a chur ar aghaidh agus cráifeacht na ndaoine a chothú.

Ón miontaighde a rinne Seán Connolly ar Bheatha Bhríde le Cogitosus is léir dó go bhfuil an-tábhacht ag baint le creideamh Bhríde. Dúirt Íosa: *"Is féidir an uile ní don té a chreideann."* **(Marcas 9;23)** Tá liosta fada míorúiltí ag Cogitosus agus is foilsiú neart Dé na hiontais sin. Ach is trí mhórchreideamh Bhríde a chuirtear neart Dé i bhfeidhm ar an domhan seo agus a thaispeántar é don phobal.

Nuair a chuirtear san áireamh na míorúiltí i mbeatha Bhríde a bhain le méadú bia agus dí don bhochtán agus don tráill agus fiú amháin don chléir agus do lucht eaglaise agus an bhéim a leagtar ar chúrsaí tís agus féile is furasta í a shamhlú mar bhanbhrughaidh Chríostaí.

I nDánta Bláthmaic gabhann tábhacht faoi leith le féile agus le trócaire Chríost agus tá na súáilcí céanna seo le feiceáil i mBeathaí Bhríde. Deirtear sa Bheatha i Leabhar an Leasa Mhóir gur roghnaigh Bríd an abairt "Is méanar do lucht na trócaire, óir déanfar trócaire orthu" **(Matha 5;7)** as na hocht mBiáide mar mhana di féin. **(Macdonald, 1992, 27)** Is cosúil go leagtaí béim faoi leith ar na súáilcí áirithe seo sa luath-Chríostaíocht in Éirinn. Ar aon chuma, is léir go raibh dlúth-nasc idir meon Chríost agus meon Bhríde agus go raibh eachtraí a saoil bunaithe go daingean ar an Soiscéal. Ag an am céanna, bhí cúinsí shaol Bhríde fite fuaite le saol na hÉireann agus an-difriúil le suíomh an NuaThiomna. Is amhlaidh a bhí Bríd ag iarraidh Críost a leanúint agus an Soiscéal a chur i gcrích agus é a fheidhmiú faoi bhrat a dúchais. Cé go raibh cultas Bhríde leata amach ar fud na tíre is léir ó dhinnseanchas na mbeathaí agus ó logainmneacha mar Chill Bhríde, gur i lár na tíre a bhí sé comhchruinnithe, dáiríre, agus i limistéar Uíbh Fhailí ach go háirithe. Fiú amháin sa lá atá inniu ann, is i mbarúntacht Uíbh Fhailí atá Cill Dara suite. **(McCone, 1982, 83)**

Bhain Bríd le treabh na bhFothairt Uíbh Fhailí (Smyth, 1982, 19). B'fhéidir go raibh tionchar ag an bhfeiniméan sin ar an traidisiún a cheanglaíonn Bríd le Fothairt Mhuirtheimhne in aice le Dún Dealgan i gContae Lú.

B'iníon le Dallbhrónach de Dhál Chonchúir i ndeisceart Bhreagha Broicseach, máthair Bhríde, de réir a beatha sa Leabhar Breac. Tugtar ginealach Bhríde ó thaobh a hathar,

Dubhthach, ann chomh maith:

"Bríd, iníon Dhubhthaigh mhic Dheimhne, mhic Bhreasail, mhic Dhein, mhic Chonla, mhic Artrach, mhic Airt Choirb, mhic Chairbre Nia, mhic Chormaic, mhic Aonghusa, mhic Eachach Fhinn Fhuathnairt, mhic Fheidhlimidh Reachtaire," agus araile.

Bhaintí úsáid as an nginealeach i gCúil Aodha in iarthar Chorcaí agus daoine ag dul thar lear. Chreididís nach mbeadh baol báite orthu agus an rann acu. Dá bhrí sin dhéanaidís é a fhoghlaim ó na seandaoine **(IFC 900; 85-86).** Tá míchothrom de shaghas éigin Ie haireachtáiI, áfach, idir Bríd faoi mar a léirítear í sna Beathaí agus Bríd mar ábhar cultais i measc na ndaoine.

Mar a dúradh cheana féin, baineann saol liteartha Bhríde le Cúige Laighean ach go háirithe, cé go bhfuil trácht ar chuairt taobh amuigh den limistéar sin.

Ar an taobh eile den scéal, léireofar sna cuntais ón mbéaloideas go mbaineann a cultas leis an tír ar fad. Caithfear an cheist a chur mar sin: Cén fáth go hhfuil cultas Bhríde scaipthe ar fud na tíre i measc na ndaoine fad a bhíonn cultas naoimh eile nach í teoranta dá ndúiche féin?

Ó thaobh na staire de bhí tábhacht faoi leith ag baint le Cill Dara:

"Although Kildare lay on the fringes of Uí Failge territory in the North-Western Region, its association with the Curragh and its domination by the Uí Dunlainge kings of Leinster from the seventh to the twelfth centuries, made it one of the most important centres in northern Leinster. After the Anglo-Norman invasion, it was here, almost certainly, that Strongbow established his headquarters. Kildare began life in the prehistoric Celtic past as a cult centre of the goddess Brigit, beside a sacred oak, which in the sixth century was taken over by a Christian virgin and her community of nuns – hence Cill Dara. The ritual fires which were kept continuously burning here into the thirteenth century testify to the origin of Kildare as a pagan sanctuary."
(Smyth, 1982,41)

Sa chomhthéacs seo is féidir tábhacht Chill Dara a thuiscint sa tseanaimsir, mar bhí an dá chraobh – polaitíocht agus creideamh – bailithe le céile in aon lárionad amháin. Tugann an tOllamh McCone léargas suntasach ar an gceist seo agus léiríonn sé an laige stairiúil a bhaineann le Beathaí Bhríde ar thaobh amháin, agus ar an taobh eile de an fhianaise i dtaobh an bhandé Cheiltigh leis an ainm céanna. Mar thoradh ar an meascán sin, tá rian na págántachta le haithint i gcultas an naoimh:

"Fiú má bhí bunús staire le corrshonra faoi shaol Bhríde sna beathaí éagsúla seo, níl muide in ann é seo a dhéanamh amach go cinnte anois, agus caithfear admháil mar sin nach bhfuil aon eolas iontaofa faoi Bhríd mar bhean stairiúil le baint amach astu. Ar an láimh eile, tá neart fianaise ar fáil faoi bhandia págánta na gCeilteach i gcoitinne agus na nGael go háirithe darbh ainm Bríd, agus níl aon amhras ná gur fhág an cultas págánta seo lorg ar an gceann Críostaí (1982, 82).*

Feicfimid ar ball an cuntas a thug Giraldus Cambrensis ar an tine bhithbheo a bhí ag mná rialta Bhríde i gCill Dara a bhfuil rian na réamhChríostaíochta ag baint leis. Mar an gcéanna le ráiteas i Sanas Chormaic i dtaobh Bhríde, iníon an Daghda, mar bhé leighis, mar bhé ghaibhneachta agus mar bhé fhilíochta. Is é Imbolc lá a féile. Taobh amuigh den litríocht, áfach, níl mórán fágtha ar thalamh Chill Dara a chuirfeadh in iúl go raibh neimheadh réamhChríostaí suite ann, cé go bhfuil tobar beannaithe, reilig, agus suíomh na tine bithbheo le feiceáil fós sa láthair.

Feictear, áfach, má chuirtear Cill Dara san áireamh, go bhfuil cearnóg le feiceáil sa cheantar seo Maigh Life le Cnoc Almhaine, Nás na Rí, Dún Ailinne agus Cill Dara féin mar chúinní aici agus suíomh Aonach Charmain taobh istigh den chearnóg sin i gCuirreach Life.

Ciallaíonn sé sin, go raibh Bríd Chill Dara lonnaithe taobh istigh de limistéar a bhi ar maos le cúrsaí staire, réamhstaire, polaitíochta agus miotaseolaíochta agus saol beo bríomhar mór-thimpeall uirthi lena linn.

Caibidil a hAon

BRÍD AGUS
AN tEARRACH

Is é Lá Fhéile Bríde, 1 Feabhra, tús an Earraigh – an tráth úd
d'athbheochan an dúlra i ndiaidh bhás an gheimhridh. Tá
casadh na gréine um an ngrianstad thart le sé sheachtain agus
tá a chomharthaí sin le feiceáil anois i ndul i bhfad an lae, mar
a deir Raifteirí an file:
"Anois teacht an Earraigh, beidh an lá dul chun síneadh,
is tar éis na Féile Bríde ardóidh mé mo sheol."

Tosaíonn nua-neart na gréine ag dul i bhfeidhm ar an bhfásra
agus dá bhrí sin filleann an dath glas ar an bhféar feoite;
tosaíonn gasóga ag teacht chun cinn ar na crainn; eascraíonn
lusanna an earraigh os cionn na talún; bíonn ceol na n-éan le
cloisteáil arís agus ó gach aird tá an nádúr ag fógairt go bhfuil
ré úr tagtha ar an saol.

Ó thaobh an fheirmeora de, bíonn a fhios aige go bhfuil sé in
am dó tabhairt faoi obair na bliana arís agus a aird a dhíriú ar

1

bhreith na n-uan agus ullmhú na talún do chur an arbhair. Bíonn donas na seanbhliana le glanadh amach chun ré nua feirmeoireachta a ligean isteach.

Seasann tús mhí na Feabhra amach mar thráth ina bhfuil casadh deimhneach ó shéasúr amháin go dtí séasúr eile le tabhairt faoi deara. Agus níor lig na seanGhaeil an tráth comharthach seo thart gan é a mharcáil ar bhealach faoi leith. Ba é "Imbolc" nó "Oimelc" an t-aimn réamhChríostaí a bhí ar an bhféile a chuir tús le tráth an earraigh.

Molann *Pamela Berger* go mín, triaileach, go mb'fhéidir go bhfuil an idé de ghlanadh na bpáirceanna i ndiaidh an gheimhridh chun iad a chur in oiriúint do shíolchur an earraigh ina bhunsmaoineamh don fhéile. Tagraíonn sí don teoiric a scagann an focal "Imbolc" i ndá chuid – 'im' agus 'bolg' - bolg an bhandé, is é sin na páirceanna, agus ciallaíonn an focal 'Imbolg', go bunúsach, siúlóid timpeall na bhfeirmeacha chun crios cosanta/glanta a thógáil a sheasfadh idir na barraí atá le cur san earrach agus cumhachtaí an ghalair. B'fhéidir go bhfuil iarsma den tuiscint seo le haithint i siúlóid na Brídeoige sa lá atá inniu ann (1988, 71). Gan amhras, is féidir í a chur i gcomórtas le 'Litaniae Minores' (Rogationes) an tsamhraidh, sa chaoi go ndéantaí siúlóid timpeall na bpáirceanna chun na barraí a ghardáil ó chumhachtaí an oilc ar na trí laethanta roimh Dhéardaoin Deascabhála.

Is cosúil nach bhfuil bunús daingean ag an sanasaíocht seo, ach feicfimid i rith an tsaothair go bhfuil samplaí le fáil de ghnásanna siúlóide ina n-iompraítear dealbh an bhandé trí na páirceanna chun a beannacht a chur orthu.

Ón naoú haois anuas, ar an taobh thuaidh de Shléibhte na nAlp, tá an claonadh ann i ngnásleabhair na hEaglaise an t-ainm 'Purificatio Beatae Mariae Virginis' a chur ar 'Thoirbhirt ár dTiarna sa Teampall' ar an dara lá d'Fheabhra. Lean an teideal sin sa 'Missale Romanum' go dti Vatacáin a Dó. **(Stevenson, 1988, 346)**

Tugann Berger achoimre áisiúil ar charactar speisialta Mhí Feabhra fad a bhaineann sí le cúrsaí glanta agus torthúlachta: *"Throughout the Middle Ages and into modern times February was considered a month of purification. It was the time of the ceremonial purification of the fields before the seed could be placed in the ground. And it was also the time for purification of women who had given birth during the preceding year. Until the last century women would come to the church on February 2 for a postchildbirth blessing and would take home with them their blessed candles"*. **(1988, 115)**

Le teacht na Féile Bríde, tá athrú suntasach le haireachtáil sa dúlra *'Tá sé ráite go dtosnaíonn an fluiseog ar sheinim Lá 'le Bríde agus an londubh leis, agus deirtear go dtosnaíonn éanlaith an aeir go léir ar chúpláil ó Lá 'le Bríde amach. Deirtear go mbíonn cnúid ar na hainmhithe chun go dtagann Lá 'le Bríde toisc go mbíonn an talamh lom, agus ó Lá 'le Bríde amach go mbíonn an féar a' bogadh agus a' glasadh agus an aimsir ag bogadh agus an ghrian níos sia ar an aer agus an lá ag dul i bhfad."*
(IFC 900; 39; Ciarán Ó Síothcháin, Oileán Cléire, Co. Chorcaí, a scríobh)

Cuireadh síos ar bhorradh an fhásra i dtráth an earraigh go héifeachtach i seanchas Chúil Aodha. Baineann an cuntas leis an athrú a thagann ar an bhfásra ón túsú lag Lá 'le Bríde go fás faoi lánseol san Aibreán, ach is suntasach é go bhfuil triúr cailleach i gceist agus iad freagrach as an bhforbairt a thagann ar na barraí le linn an earraigh. Is deacair an cuntas a léamh gan smaoineamh ar bhandia triadach na gCeilteach nó ar na "Matres" atá le feiceáil go minic ar chlocha na nGaill-Rómhánach sa Mhór-Roinn nó sa Bhreatain. Feictear an triúr cailleach go soiléir, mar shampla, sa phlaic a fuarthas i gCirencester, Gloucestershire. Taispeántar an triúr ina suí agus ciseáin ina mbaclainn acu ina bhfuil bairíní aráin agus torthaí na talún. **(Bord, J. and C. 1982, 24)**

B'fhéidir, mar sin, go bhfuil macalla éigin de sheanchreideamh an Bhandé le haireachtáil sa seanchas:

"Deireadh na seandaoine go mbíodh nithe ag cuimhneamh ar bheith ag fás Lá 'le Bríde, go mbíodh cailleach a' cur aníos agus beirt chailleach ag á gcur síos, agus nuair a thagadh Lá 'le Pádraig bhíodh beirt chailleach ag cur aníos agus cailleach ag cur síos. Ach nuair a thagadh an chéad Lá d'Abrán bhíodh an triúr cailleach d'aonbhuíon chun bheith ag cur neithe aníos. Deir na feirmeoirithe gur mithid cuimhneamh ar obair an earraigh nuair a thagann Lá 'le Bríde agus 'sé ceol na n-eun a chuireann so i n-iúl dóibh."

(IFC 900; 89-90); Amhlaoibh Ó Loingsigh, Cúil Aodha, Contae Chorcaí a d'aithris; Cáit Uí Liatháin, Cúil Aodha, Contae Chorcaí, a scríobh)

Is comhrac idir an triúr cailleach atá i gceist sa chuntas. I rith na dúluachra - ón Nollaig go Lá 'le Bríde – is cosúil go mbíonn an triúr ar aon aigne maidir le seascacht na talún. Lá 'le Bríde, áfach, éiríonn duine den triúr amach i bhfábhar an tseascacht a chur ar ceal ach bíonn an bheirt eile ina coinne agus is deacair di mórán dul ar aghaidh a dhéanamh. Ach, Lá 'le Pádraig, coicís agus mí níos déanaí, bíonn athrú aigne ag duine den fhreasúra agus casann sí ar thaobh chailleach na forbartha. Tamall ina dhiaidh sin iompaíonn an tríú cailleach agus as sin amach bíonn an triúr ag obair as láimh a chéile agus téann an fásra ar aghaidh faoi lánseol.

Tosaíonn an iascaireacht in abhainn na Bearbha i Loch Garman Lá 'le Bríde agus leanann sí ar aghaidh go dtí Mí Dheireadh Fómhair. **(IFC 907; 179).**

Is é sin an patrún ginearálta ar fud na tíre ach amháin in Abhainn na Garbhóige i gContae Shligigh:

"Salmon fishing opens in all Ireland that day with the exception of the Garvogue in Sligo, for it is said that St. Brigid blessed it when passing and fishing opens in it on the first of January."

(IFC 902; 242; Micheál Ó Gallchobhair, Cill Fhearga, Druim Átha Thiar, Contae Liatroma, a scríobh)

Ó thaobh na litríochta agus an traidisiúin de, níl an nasc idir Bríd agus éisc chomh dlúth agus atá idir Bríd agus ba. Ach mar sin féin, níl sé in easnamh go hiomlán. Tagann an idé chun cinn sa scéal greannmhar mar gheall ar Naomh Bréanainn (An Mairnéalach) agus na míolta móra.

Lá dá raibh Bréanainn ar mhullach aille ag féachaint amach ar an muir, léim dhá mhíol mhóra aníos as an bhfarraige agus thosaigh siad ag troid. Lean siad ar aghaidh ag sracadh agus ag ionsaí a chéile gan trua gan taise go dtí go raibh ceann amháin díobh ar tí a bhásaithe. Agus é ar an dé deiridh, ghlaoigh sé amach i nglór daonna ag iarraidh ar Bhríd é a shábháil. Agus, ceart go leor, leis sin, d'éirigh an míol mór eile tuirseach den chomhrac, d'iompaigh sé thart agus d'imigh abhaile dó féin agus sábháladh an míol mór a ghlaoigh ar Bhríd.

Bhí Bréanainn trína chéile ar fad mar gheall ar an eachtra seo agus an-bhuartha. Ní raibh sé in ann a thuiscint cén fáth gur ghlaoigh an míol mór ar Bhríd in ionad glaoch air féin agus taithí ag na héisc go léir ar é bheith ag féachaint orthu agus é ag treabhadh na farraige móire agus a fhios acu ag an am céanna gur dhuine naofa é. Ghoill sé go mór air gur cheap na héisc go raibh níos mó cumhachta ag Bríd ná mar a bhí aige féin.

Bhí sé chomh corraithe sin gur chinn sé filleadh ar Éirinn agus ceist a chur ar Bhríd faoin gcás. Rinne sé amhlaidh agus leanann an scéal ar aghaidh ag míniú go raibh Bríd i bhfad níos naofa ná Bréanainn toisc go raibh a haird dírithe ar Dhia an t-am ar fad, mar ón lá ar ghlac sí leis an gcaille nár stad sí ó bheith ag smaoineamih air. Maidir le Bréanainn is minic a bhíodh a chuid smaointe ar seachrán. B'shin an fáth go raibh níos mó measa ag na héisc ar Bhríd ná mar a bhí acu ar Bhréanainn cé gur chaith sé cuid mhaith dá shaol ina measc **(Plummer, 1922, 85-86)**.

I measc iascairí thart faoin chósta i gContae na Gaillimhe, bhí nós i bhfeidhm a nglaoidís 'An tIasc Beo' air. Tagann tuairisc ar an nós seo ó Chill Rónáin, Inis Mór, Árainn:

"Lá 'le Bríde bheireann cuid de na daoine isteach an t-iasc beo (an bairneach). Itheann siad cuid díobh agus caitheann siad cuid eile

*díobh i gcúinne sa teach. Iascairí a dhéanas é seo le go mbeadh rath
ar an iascach."*
(IFC 902; 3; Seán Ó Maoldomhnaigh a scríobh)

Is deacair, dáiríre, an nós a thuiscint. Is cosúil gur éisc bheaga
taobh istigh de shliogáin is mó a bhíodh i gceist agus nár
cuireadh chun báis in aon chor iad. Gheobhaidís bás go
tapaidh, áfach, agus an t-uisce in easnamh orthu.

Tagann cuntas ó Chontae an Chláir a luann ceithre cúinní an tí
agus chonaiceamar cheana féin go raibh an cúinne ainmnithe
mar an áit inar chaith na hiascairi cuid de na bairnigh:

*"On St. Brigid's Eve people near the sea collect pennywinkles
(periwinkles?) and put them in the four corners of the house."*
**(IFC 901; 64; Pádraig Mag Fhloinn, Cill Fhionnabhrach, a
scríobh)**

Sa chur síos seo ó Chontae an Chláir, is cosúil gur miongáin
nó éisc bheaga istigh i sliogáin atá i gceist agus go scaiptí iad
thart faoi cheithre cúinní an tí.

Go bunúsach, bhain an nós le rath na bliana, le torthúlacht
agus flúirse bia de réir an leid a tugadh i gcuid de na tuairiscí.

Ach níl ansiúd ach cuid de réiteach na faidhbe, mar sa chás
sin dhéanfadh aon saghas éisc an gnó.

Chonaiceamar, áfach, gurbh éisc shliogáin ba mhó a bhí i
gceist agus gur cuireadh sa chúinne nó sna ceithre cúinní iad.
Tá parailéal le feiceáil anseo le nós chroitheadh fola an
choiligh íobartha Oíche Fhéile Mártain (10 Samhain) ar
cheithre cúinní an tí agus gan amhras bhain an nós sin le
cosaint an tí, le rathúlacht agus ádh na bliana, mar is í Féile na
Samhna a bhíonn á ceiliúradh an oíche sin dáiríre. Éiríonn an
dá dháta toisc ceartú a dhéanamh ar an bhféilire a bhí 11 lá as
riocht le cúrsa na gréine **(Cooper and Sullivan, 1994, VI)**.

Cé go bhfuil an méid sin soiléir ní réitíonn sé an fhadhb i
dtaobh an tsaghas éisc. B'fhéidir, áfach, go bhfuil réiteach na
ceiste le fáil sa sliogán féin.

De réir an taighde a rinne Marija Gimbutas ar bhandéithe na seanEorpa is soiléir é gur bhain an ghráinneog agus an nathair leis an MórRíon, le Bandia an tSonais. B'fhéidir sa tír seo, leis, nár deineadh idirdhealú ró-mhór ach oiread idir an ghráinneog agus broc agus gur mar a chéile an chiall a bhí leo go léir – nochtadh na MórRíona (an Bhandé) i dtús an Earraigh. Ach tá fadhb an tseilide agus fadhb an éisc bheo fágtha oscailte.

Tá an nathair mar chompánach coitianta ag an mbandia sa dealbhadóireacht ársa agus gan amhras chuaigh cleas na nathrach (a craiceann a chaitheamh i leataobh agus í féin a nochtadh mar rud nua) go mór i bhfeidhm ar na seanchiníocha i dtreo gur tháinig ceangal chun cinn idir nathair agus athbheochan **(Campbell, 1965,9)**.

Ós rud é gur pearsanú de chóras bhás agus aiséirí an fhásra le linn thimthriall na bliana an Bandia, b'fhurasta an nasc idir í féin agus an nathair a aithint.

Is féidir an seilide agus an t-iasc beo a chur i gcomparáid lena chéile ós rud é go bhfuil sliogáin i gceist sa dá chás. Ach ní hé go díreach an sliogán féin atá mar bhunphointe ach an dearadh atá ar an sliogán, 'sé sin le rá, an bhís – dearadh atá le fáil chomh minic sin ar na clocha meigiliteacha agus ar an bpotaireacht a bhaineann leis an mBandia.

Seasann an bhís de réir cosúlachta do shnáth na beatha a eascraíonn ó bhroinn an Bhandé agus a fhilleann arís uirthi i gcomhair athbheochana. Cosúil leis an nathair is cur i láthair eile í de thimthriall síoraí na beatha agus mar sin is siombail bhailíoch í den Bhandia féin, Ríon na Beatha **(cf. Streit, 1984, 51)**.

Ní hionann sin agus a rá go bhfuil cruthú docht daingean ann gur shíolraigh nós an éisc bheo as na foinsí seo, ach iarracht atá anseo chun ciall éigin a bhaint as nós nár thuig fiú amháin na daoine a chleacht é agus teacht ar réiteach taobh istigh de mheon chiníocha ársa na hEorpa.

Roimh ré na bprátaí ba é an t-arbhar a bhí i réim leis na cianta cairbreacha agus tá a rian sin le feiceáil i slite éagsúla i gceiliúradh na Féile Bríde. Ar an gcéad dul síos ceann do na hábhair is mó a úsáidtear chun Cros Bríde a dhéanamh is ea an tuí. Ach taobh amuigh de sin uile, bhí nós eile ann a cleachtaíodh go forleathan ar fud na tíre san am atá thart a leag an bhéim ar an arbhar mar ábhar bia agus cothú seasmhach na ndaoine. Ba é an nós sin ná punann a leagadh ar leac an dorais Oíche 'le Bríde.

"Seo nós a bhíodh ag na seandaoine fadó. Nuair a bhíodh Féile naomh Bríd ann do théadh fear an tí amach san oíche agus d'fhaigheadh sé punann choirce agus d'fhágadh sé ar leac an dorais í. 'Sé an fáth a dhéantaí é sin ná nuair a thagadh Naomh Bríd chuig an doras an oíche sin agus nuair a fheiceadh sí an phunann go gcuireadh sí rath ar an gcoirce sin an bhliain sin."
(IFC 902; 108; Seán Ó Conaire, Druim Snámh, Mám, Contae na Gaillimhe, a d'aithris; Cáit Ní Chonaire, a scríobh)

Is rud bunúsach é seo i gcultas Bhríde – an creideamh go mbíonn Bríd ag gabháil timpeall ar cuairt an oíche sin. Bíonn ar na daoine fáilte a chur roimpi i slite éagsúla agus cuireann sí a beannacht ar na rudaí difriúla a leagtar taobh amuigh den doras an oíche sin – go háirithe an píosa éadaigh a nglaotar 'Brat Bhríde' air.

Gabhann buanna faoi leith leis na rudaí seo toisc an teagmháil le Bríd. Chun tuiscint a fháil ar na gnásanna éagsúla a ghabhann le Féile Bríde is gá ar an gcéad dul síos glacadh le 'Cuairt Bhríde' ar fud na tíre ar an oíche naofa mar bhunchloch an chultais.

In Oileán Chiarraí bhí nós na punainne agus uaireanta toirtín nó císte in éineacht léi i bhfeidhm fadó chun an t-ocras a choimeád amach i rith na bliana **(IFC 899; 196)**.

Tagann tuairisc ó Dhún na nGall a leagann béim ar chuspóir an chleachtaidh agus a chuireann meon réamhChríostaí in iúl go soiléir:
"A sheaf of corn and an oaten cake used to be placed on the doorstep on St. Brigid's Eve for the 'wee' folk (fairies) and also as a

thanksgiving for the plenteous grain-crop and for good luck during the following year."
(IFC 904; 178; William Gallagher, Socker, a d'aithris; Mrs. Mary Starrit, Ednacarnon, N.S., Letterkenny, a scríobh)

Baineann an tuarascáil seo leis an dúiche thart ar Chill Mhic Réanáin agus leagtar nós na punainne go slachtmhar taobh istigh den seanreiligiún – An Creideamh Sí.

San ofráil seo, admhaítear go bhfuil cumhacht ag Tuatha Dé Danann ar thorthúlacht na talún agus thugtaí bronntanais mar sin do Dhonn Fírinne, Dia na Marbh, ina neimheadh ar Chnoc Fírinne i gContae Luimnigh:
"On May Eve and Halloween girls lay gifts on the high fields, or at the foot of the Stricín... this was done probably on St. Martin's Eve."
(Béal. 18, 155)

"Other 'gifts' laid on the hill are mentioned by Thomas Ball; 'They bury eggs in hay, in crops of corn, and also parts of dead animals.' All these customs 'prevail in all the districts within view of the remarkable hill'."
(Béal. 18, 156)

Tugann an ráiteas seo le fios chomh maith cé chomh tábhachtach a bhí an lá faoi leith seo taobh istigh d'fhéilire gnásúil na nGael.

Ag dul ó thuaidh ó Chill Mhic Réanáin go Ros Goill, tagaimid ar chuntas eile i dtaobh na punainne agus an chíste.

"Roimhe seo chuirtí císte trí-choirnéal agus punann coirce ar leac an dorais Oíche 'le Bríde. Deirtear go gcoisriceadh Naomh Bríd an phunann coirce agus an císte. Faoi am luí nó mar sin, thugtaí isteach iad agus roinntí thart ar an líon tí an císte agus thugtaí an phunann coirce don eallach. Deirtear go sábhálfadh Naomh Bríd na daoine is an teaghlach ó gach uile dhainséar ar feadh na bliana."
(IFC 904; 190; Seán Ó Siadhail, Cnoc Dumhaigh, a d'aithris; Tomás Mac Fhionghaile, Carraig Airt, Leifear, Contae Dhún na nGall, a scríobh)

Uaireanta seasann an phunann ina siombail aonair ach is cosúil gur shiombail éifeachtach a bhíodh i gceist in aigne na ndaoine anallód, 'sé sin le rá, go raibh cumhacht sa tsiombail san oíche shacráilte, an rud a chiallaigh sí a tháirgeadh. Bheadh an fómhar go flúirseach de bharr an phunann a bheith ar leac an dorais.

I gcuid de na cuntais, dealraíonn sé go dtarlaíodh sé sin trí neart na punainne féin mar shiombail ag feidhmiú taobh istigh de fhráma gnásúil na hoíche naofa. I gcásanna eile, áfach, is amhlaidh a mheabhraíodh an phunann riachtanas na ndaoine do Bhríd agus í ar chuairt na tíre agus bhaineadh sí úsáid as a cumhacht féin chun fómhar maith a chur ar fáil dóibh.

Go dtí seo bhíomar ag caint faoin bpunann mhór a d'fágtaí taobh amuigh den doras Oíche 'le Bríde. I gcás amháin – Tobar Eoin i gContae Chill Chainnigh – luaitear gur deineadh Cros Bhríde a chrochadh sa teach as an bpunann gan bualadh agus go gcuirtí an chuid eile di sna cróite. **(IFC 907; 225-226)**

Tá sé seo cóngarach do nós eile a fheicfimid anois – nós a bhí le fáil in áiteanna áirithe i gContae na Gaillimhe agus i gContae Ros Comáin chomh maith, de réir dealraimh.

"A small sheaf of oats and a potato used to be left on the door-step until bed-time and stuck on a 'scolb' and put up behind a rafter at bed-time on St. Brigid's Eve. When the Spring came, the oats would be rubbed between the hands and the seed would be put with the oats for sowing. The potato used to be cut and sown with the rest of the 'slits'. While this was being done St. Brigid was invoked to protect the crops from all diseases."
(IFC 902; 182; Anne Tuohy, Ballygreaney, Ballymacward, Woodlawn, a d'aithris; Theresa M. Hurley, Colemanstown, Ballinasloe, a scríobh)

Sa chás seo chuirtí punann bheag choirce agus an gráinne uirthi taobh amuigh den doras Oíche 'le Bríde mar ba ghnách a dhéanamh leis an bpunann mhór. Ach tá rud eile le feiceáil, 'sé sin le rá, práta amháin leagtha ar an tairseach mar shiombail den bhia nua-aimseartha taobh le taobh le seanbharr ársa na ndaoine.

Ag am luí – i ndiaidh chuairt Bhríde, is dócha, agus a beannacht curtha ar an bpunann agus ar an bpráta – thugtaí isteach sa teach iad. Chuirtí scolb tríd an bpráta agus ansin tríd an bpunann agus chrochtaí an rud go léir ar na fraitheacha, díreach faoi mar a dhéantaí le Cros Bhríde.

D'fhágtaí ansiúd iad go dtí go raibh an talamh réidh i gcomhair chur an arbhair agus na bprátaí. Tharlaíodh sé sin de ghnáth sa tréimhse idir Lá 'le Bríde agus Lá 'le Pádraig.

Agus gach rud ullamh chun an barr a chur, mheasctaí gráinne na punainne leis an ngráinne a bhí le cur sa talamh agus mar an gcéanna mheasctaí an práta leis an bpór. Ar an gcéad dul síos, cuireann an gnás seo in iúl an ceangal idir barr na bliana seo caite agus barr na bliana nua; is cur i láthair í de thimthriall na beatha.

Ach ní leis sin amháin a ghabhann an *mystique*.

Tríd an dara teagmháil, 'sé sin le rá an teagmháil idir gráinne na punainne agus gráinne an tsíolchuir (agus mar an gcéanna leis an bpráta), téann bua na punainne i bhfeidhm ar an síol ar fad. Sa tslí sin tá an chumhacht osnádúrtha nó an torthúlacht ag dul amach ó Bhríd féin go dtí an barr nua agus an phunann agus an práta mar mheáin chun an bua sin a thraiseoladh.

Baineann an gnás le Bríd Bé na Torthúlachta – agus le linn na curadóireachta chuirtí barra na bliana nua faoina coimirce. Léiríonn an nós cé chomh bunúsach agus a bhí ról Bhríde i saol na ndaoine.

Sa chomhthéacs seo is féidir ár n-aird a dhíriú ar Naomh Bláisias. Titeann a lá féile ar an tríú lá de Mhí na Feabhra agus is ar an lá seo a bhíonn beannú na scornach ar siúl. Ach in áiteanna áirithe san Eoraip bhain a chultas go mór le cúrsaí torthúlachta agus le síolchur ag tús an earraigh. Is cosúil gur imigh cosúlacht a ainm 'Blaise' le 'blé' (cruithneacht) sa bhFraincis i bhfeidhm ar an bpobal agus is léir gur ghlac an naomh fireann seo chuige féin tréithe a bhain le bandia na torthúlachta ach go háirithe (**Berger, 1988, 81**).

Ina lán sráidbhailte in oirdheisceart na Fraince bhíodh tóstal caithréimeach ar siúl ar an lá seo – Naomh Bláisias i dtrucail ornáideach ag gabháil tríd an gceantar agus ceithre fhéan in éineacht leis ag léiriú obair na séasur. Thugadh na mná soitheach ghráinne go dtí an séipéal agus bheannaíodh an sagart é. Ba é seo 'Benedictio seminum granarum' agus cé go raibh an nós go forleathan ní raibh an beannú le fáil sna gnásleabhair oifigiúla. Thugadh na mná leath den ghráinne don sagart agus mheasctaí an chuid eile de leis an síol a bhíodh á chur san ithir an t-earrach sin **(Berger, 1988, 81-82)**.

I gcás na Féile Bríde, ní ón Eaglais go díreach a thagadh beannú an ghráinne ach ó Bhríd féin.

CAIBIDIL A DÓ

FÁISTINE

Cé nach é tús na bliana é go traidisiúnta ó thaobh an fhéilire de, is é tús an earraigh agus tús sheal na curadóireachta agus na hiascaireachta Féile Bríde nó Imbolc agus tá a rian sin le feiceáil ar chuid de na nósanna a bhaineann leis an lá líotha. Tá sé seo le haithint go háirithe i gcleachtadh na fáistine.

Ag tús na bliana bíonn fiosracht ar dhaoine faoi cad tá i ndán dóibh sa bhliain atá rompu agus baineann cleachtaí fáidheadóireachta ar nós an fháinne sa bhairín breac, na cnónna sa tine agus mar sin de, atá mar chuid de ghnásanna na Samhna, le tús na bliana nua. Ach is tús eile taobh istigh de mhórthús na bliana séasúr na curadóireachta agus na hiascaireachta agus fuair Féile Bríde a cion féin de chleachtaí fáidheadóireachta in áiteanna éagsúla ar fud na tíre seo agus in Albain chomh maith.

Toisc go mbaineann an fháistine leis an mbliain ina hiomláine féachaimís ar dtús ar na nósanna a bhain léi faoi mar a léirítear iad sa bhéaloideas.

Ar an gcéad dul síos is cosúil gur thosaigh cleachtaí fáistine na ndaoine de bharr an fhéile a bheith ina phointe tosaigh de shéasúr nua an earraigh. Ní hé sin le rá, áfach, nach raibh bunús éigin leis an fháidheadóireacht i mbeatha Bhríde féin de réir na litríochta. Mar a chonaiceamar, rinne fáidh fáistine ina taobh roimh a breith.

Thug Bríd féin réamhtheachtaireacht gur ó láimh Ninnidh a ghlacfadh sí an Chomaoin Naofa agus í ag saothrú an bháis, agus dá bharr sin choimeád sé a lámh clúdaithe i rith a shaoil. Ón eachtra seo glaotar Ninneadh Lámhghlan air. **(Stokes, 1877, 85)**

Tá scéal eile i dtaobh Bhríde agus fáistine sa Leabhar Breac agus tagann leaganacha éagsúla den eachtra chéanna anuas chugainn sa bhéaloideas.

De réir an scéil seo, thit Bríd ina codladh le linn do Naomh Pádraig a bheith ag seanmóireacht agus chonaic sí aisling.

San aisling chonaic sí ceithre chéacht san iardheisceart agus threabh siad an tír ar fad agus sula raibh an síolchur críochnaithe d'fhás an fómhar agus tháinig toibreacha geala agus srutha taitneamhacha as na heitrí agus bhí éadaí bána á gcaitheamh ag na fir oibre.

Ansin, taispeáineadh ceithre chéacht eile di sa tuaisceart agus d'fhás an coirce láithreach agus d'aibigh, ach an babhta seo ba shrutháin dhubha a tháinig as na heitrí agus éadaí dubha a bhí á gcaitheamh ag an lucht oibre. D'inis Bríd an aisling seo do Naomh Pádraig agus mhínigh seisean an bhrí a bhí léi.

Pádraig agus Bríd féin atá i gceist ar dtús agus tá na ceithre soiscéil á gcur acu agus beidh toradh fiúntach ar an saothar. Ach níos déanaí tiocfaidh dream eile – teagascóirí bréagacha a chuirfidh a gcuid oibre ar ceal. Ach nuair a tharlóidh sé sin beidh Pádraig agus Bríd i láthair an Dúilimh.

Sa leagan béaloidis den scéal ó Chontae Chorcaí, caoirigh bhána atá i gceist ach ansin tagann spotaí breaca ar na caoirigh agus tagann muca, mactírí agus madraí fiáine an tslí. Gabhann an míniú céanna leis an aisling, 'sé sin le rá go dtiocfaidh meath ar an ré órga **(IFC 900; 199)**.

In áiteanna áirithe i gCúige Mumhan ba choitianta an nós é fáistine a dhéanamh trí úsáid a bhaint as corda nó píosa éadaigh. Oíche 'le Bríde (31 Eanáir) dhéanaidís an t-éadach a thomhas agus thugaidís faoi deara go cruinn beacht cé chomh fada a bhí sé. Ansin, d'fhágaidís é taobh amuigh den teach ar feadh na hoíche sin agus ar maidin dhéanaidís é a thomhas arís. Dá mbeadh sé níos faide ar maidin bheadh an t-ádh le muintir an tí i rith na bliana agus dhéanfaidís mórán airgid. Ach dá mbeadh an corda níos giorra ar maidin bheadh mí-ádh ortha agus gheobhadh duine den líon tí bás i rith na bliana **(IFC 901; 136; Contae an Chláir)**.

Tá cur síos ar mhodh eile fáistine a bhain le tine i gContae Liatroma. Dhéantaí coinnlí le fuíoll na bhfeagacha i ndiaidh na crosanna a déanamh agus thugtaí coinneal lasta do gach duine sa teaghlach. An duine gur leis an choinneal a ídeodh ar dtús ba é siúd an duine ba thúisce a gheobhadh bás **(IFC 902; 239)**.

Cé go mbaineann cuid mhaith de chleachtaí fáistine na Féile Bríde le bás agus le beatha, le hádh agus le mi-ádh, le torthúlacht nó le seascacht na talún, tá nósanna ann chomh maith a bhaineann le cúrsaí cleamhnais agus pósta.

Tagann cúntas ón gCarraig Mhór i gContae Thír Eoghain i dtaobh an chleachtais a bhi i réim ansiúd maidir le cúrsaí cleamhnais agus pósta. Dhéanfadh cailín fíor-bheag tuirne as feagacha agus thabharfadh sí d'fhear óg í chun í a chur faoina adhairt Oíche 'le Bríde. D'fheicfeadh sé i dtaibhreamh an bhean a phósfadh sé.

Mar an gcéanna, dhéanfadh fear dréimire beag as feagacha agus thabharfadh sé do bhean óg é agus chuirfeadh sise faoina hadhairt é Oíche 'le Bríde. D'fheicfeadh sise an duine a bhí i ndán di mar fhear céile **(IFC 905; 146-147)**.

Tá nós na fáistine le fáil in Albain chomh maith agus sa chuntas atá againn air tá baint níos mó ag Naomh Bríd leis ná mar atá le haithint i gcoitinne in Éirinn.

Dhéanadh na mná ciseán i bhfoirm cliabháin agus thugtaí

'Leaba Bhríde' air. Ansin, chuirtí dealbh Bhríde isteach ann – dealbh déanta as punann arbhair agus éadaí. Chuirtí slat bheag (Slatag Bríde) in aice na deilbhe.

Ansin, dhéantaí an luaithreach a réiteach timpeall na tine. Bhídís ag súil le cuairt Bhríde ar an teach i rith na hoíche agus dá mbeadh marcanna na slaite, nó níos fearr fós, rian a coise sa luaithreach ar maidin, bheadh an-áthas orthu toisc gur chomhartha é sin d'fhábhar Bhríde agus chuirfeadh sí an rath ar an teaghlach i rith na bliana.

Ar an taobh eile den scéal, dá mbeadh luaithreach gan mharcáil ar maidin chiallódh sé sin go raibh Bríd mí-shásta leo. Chun é seo a réiteach, dhéanaidís 'tabhar agus túis', 'sé sin le rá, coileach nó sicín a adhlacadh beo i neimheadh – áit ina raibh trí srutháin ag teacht le chéile agus ina theannta sin túis a dhó sa tine. Iarracht a bhí ann chun dea-mhéin Bhríde a fháil ar ais **(CG, I, 167-168)**.

Léiríonn na cleachtais fháistine seo gur glacadh le Féile Bríde nó Imbolc mar cheann de bhacáin na bliana, mar phointe tosaigh ré nua. Tá cuid de na nósanna aisteach go leor ó thaobh fhealsúnacht na réasúntachta de agus níor éirigh leis na nósanna seo maireachtáil i ré na teicneolaíochta. Ach ón méid beag atá feicthe againn cheana féin is léir go raibh cuid mhaith de na cleachtais fháistine suite taobh istigh de mheon ársa na miotaseolaíochta agus is é seo an eochair chun teacht ar an gciall a bhaineann leo.

Um Shamhain, scriostar an teorainn idir an ceantar agus an alltar, idir fearann an duine thall agus fearann an duine abhus, idir lá agus oíche, idir shamhradh agus geimhreadh. Bíonn an chíor thuathail i réim arís faoi mar a bhí sí i réim roimh chruthú na cruinne.

Scriostar an deighilt idir an tráth atá thart agus an todhchaí agus dá bhrí sin tugtar bunús don fháidheadóireacht **(Rees, 1976, 91)**. Mar thús bhliain na feirmeoireachta bíonn Féile Bríde páirteach sa ghné áirithe seo d'Fhéile na Samhna.

CAIBIDIL A TRÍ

FILLEADH BHRÍDE ÓN ALLTAR LE LINN A FÉILE

Tá sé feicthe againn cheana féin gur chreid na daoine go n-imíodh Bríd ar imchuairt na tíre ar an oíche naofa agus go bhfágadh sí a beannacht ar an bpunann agus ar gach rud a d'fhág muintir an tí taobh amuigh den doras faoina coinne. Filleadh Bhríde ón alltar a bhí i gceist agus féachaimís anois ar cé chomh daingean agus forleathan a bhí an creideanih seo ar fud Éireamn tráth dá raibh. Tá tábhacht faoi leith ag baint leis an ábhar seo toisc go mbraitheann éifeacht Chros Bhríde, Bhrat Bhríde, na Punainne agus mar sin de, ar an teagmháil osnádúrtha a deineadh le Bríd agus í ar a himchuairt, agus chomh maith leis sin, is cosúil gur ghnású de fhilleadh Bhríde a bhí i siúlóid na Brídeoige ó theach go teach – ach beimid ag caint faoin ábhar seo níos déanaí. I dtús báire caithfimid scrúdú a dhéanamh ar chreideamh na ndaoine maidir le filleadh Bhríde ón alltar, Oíche Naofa na Féile.

I gcuntas ó Chontae Chill Chainnigh cuirtear in iúl go bhfágtaí ribín nó ciarsúr (Brat Bhríde) taobh amuigh den fhuinneog ar feadh na hoíche.

"People believe that St. Brigid comes at night time and blesses the ribbon or handkerchief."
(IFC 907; 211; Séamus Ó Duibhir, Bearna na Gaoithe, Ros an Aonaigh, a d'aithris; Seán Ua hAonghusa, Bearna na Gaoithe, a scríobh)

"Tá áiteanna sa cheantar seo agus ní dhúntar doirse an oíche sin mar creidtear go mbíonn Naomh Bríd ag gabháil timpeall an oíche sin agus go ndéanfadh sí an rath agus beannacht ar an teach agus ar mhuintir an tí."
(IFC 900; 234; Tomás Ó Faoláin, Baile Mhic Airt, An Rinn, Dún Garbhán, Contae Phort Láirge, a scríobh)

Tagann cuntas iontach ó Pharóiste Choill Beithne sa teorainn idir Contae Luimnigh agus Contae Chorcaí a léiríonn chomh réalach agus a bhí Cuairt Bhride agus a baint le ba agus bainne:
"On the Eve of St. Brigid a sheaf of rushes (green) was placed on the doorstep or flag-stone of the door on the outside on which St. Brigid would kneel when she and St. Brigid's Cow visited each house during the night. St. Brigid would kneel on the rushes and pray that God might bless the house and its occupants. Also it was a custom to tie the St. Brigid's ribbon on the latch of the door outside and this also she blessed when she blessed the house, the people in it and especially the dairy and cattle. No house was locked on the night of St. Brigid's Eve but the door was kept on the latch. When St. Brigid came along she drove with her a white cow which was known as St. Brigid's Cow but had a special name in Irish (forgotten by the narrator). There is also an insect much like the shape of a black beetle but red in colour and with a black spot on its back and about as big as a large fly called St. Brigid's Cow. The old people used to say 'St. Brigid and her cow will come around to-night.' Usually milk is very scarce in January, but the old people used to say during the month when they heard anyone complaining of the scarcity of milk – 'It won't be scarce very long now as St. Brigid and her white cow will be coming around soon.' The people also placed a sheaf of rushes on

the doorstep of the dairy, i.e. the house in which the churn was made and in which the cream was kept in large wide-open coolers, so that she might bless the dairy, the milk and the herd and that the cows would give more milk during the year and produce more butter."

(IFC 899; 265-259; Áine Bean Uí Chléirigh, Cleann na gCreabhar, a d'aithris; Pádraig Seosamh Ó Cadhla, O.S., Gleann na gCreabhar, Baile Mhistéala, Contae Chorcaí, a scríobh).

I dtaobh an chuntais seo deir an scríbhneoir go raibh Bean Uí Chléirigh 71 bhliain d'aois nuair a thug sí an cuntas dó (1942). Chuala sise an cuntas 60 bliain roimhe sin (1882) óna seanmháthair a bhí 70 bliain d'aois um an dtaca sin. Mar sin, téann an traiseoladh siar go dtí tús an naoú haois déag.

Tá cuntas le fáil in áiteanna éagsúla i gCúige Chonnacht a léiríonn go raibh an creideamh céanna i dtaobh Chuairt Bhríde ag muintir an Iarthair agus bhí ag muintir na Mumhan agus muintir Laighean.

"Nós eile a bhí acu. Nuair a bhíodh gach duine sa teach imithe a chodladh, thógadh fear an tí ball éadaigh ó gach duine sa teach, leagadh sé taobh amuigh iad, ionas dá mbeadh Naomh Bríd ag dul thart go mbeadh éadach aici le í a choinneáil te nuair bhíos sí a' tabhairt cuairt ar na tithe a thugas onóir di. D'fhágtaí na doirse oscailte freisin agus tine bhreá thíos ionas go bhféadfadh Bríd a theacht isteach agus í féin a théamh."

(IFC 902; 71; Máire Ní Cheanndubháin, na hAille, An Cnoc, An Spidéal, Contae na Gaillimhe, a scríobh ó bhéalaithris a hathar).

Baineann saibhreas ar leith le Contae Aontroma maidir le filleadh Bhríde le linn a féile. Sa bhéaloideas tá tuairiscí éagsúla ar 'Leaba Bhríde' agus ar conas mar a chóirítear í i dtreo go mbeadh lóistín na hoíche aici agus í ag dul an tslí. Ar bhealach áirithe tá cosúlacht idir meon na ndaoine anseo agus muintir Chontae Chill Chainnigh. Tugann an sliocht seo a leanas an-léargas ar chuairt Bhríde agus léirítear ann go raibh dearcadh nua ag teacht chun tosaigh a bhí naimhdeach don seanchreideamh. Mar thoradh ar an gconspóid sin, áfach, taispeántar go soiléir cad é go díreach a bhí i gceist sa tuiscint thraidisiúnta.

"This is an old custom which some of the old people in our district still practise. On the eve of St. Bridget's Feast-day, they sweep the hearth and draw a little table over to the fire and place a chair near it. A meal is then prepared for one person and placed on the table. If any person who comes seeking help on the eve of St. Bridget's feast it is believed by these people to be St. Bridget in disguise and they think that it is unlucky to refuse alms on the eve of St. Bridget's feast. Some of the other villagers think that it is unlucky to believe such things and that it would be impossible for St. Bridget to come down to earth again."

(IFC 904; 305; May Kearney, Castle St., Antrim, a d'aithris; T. Marrion, Creeve, Randalstown, County Antrim, a scríobh)

Chonaiceamar an méid fianaise a bhaineann le filleadh Bhríde ón alltar san Oíche Naofa. Ní fhágtar aon amhras faoin tarlú seo i gcreideamh na ndaoine. Ach, dá bhrí sin, fágtar sinn le ceist mar gheall ar a phréamhacha agus ar a bhunús.

Ar an gcéad dul síos, caithfear an cheist a chur – an bhfuil sé mar ghnáthnós ag naomh Críostaí teacht ar ais ó Neamh go dtí an saol seo le linn a f(h)éile? Is féidir an cheist a fhreagairt gan dua – níl an traidisiún sin le fáil mar chuid den oidhreacht Chríostaí. Cinnte dearfa, tá scéalta ann i dtaobh Naoimh a taibhsíodh do dhaoine ar ócáidí áirithe.

Ceiliúrtar, mar shampla, Taibhsiú na Maighdine Muire do Naomh Bernadette sa Ghnás Rómhánach ar an aonú lá déag de Mhí na Féile Bríde.

Mar an gcéanna i gcás Naomh Jeanne d'Arc. Dúirt sise gur taibhsíodh Naomh Caitríona agus Naomh Máiréad di ar ócáidí áirithe **(Lang, 1908, 44)**.

Is tarlú ócáidiúil é seo cosúil le taibhsiú na Maighdine Muire do Bernadette agus níl aon cheist faoi fhilleadh na naomh seo ón alltar ar laethanta a bhféile.

An rud is cóngaraí d'fhilleadh rialta naoimh le linn a fhéile i gcomhthéacs eaglasta de réir dealraimh is ea leá fola naoimh Ianuarius i Napoli na hIodáile.

Creidtear gur mairtíreach den cheathrú haois é agus coimeádtar cuid dá fhuil san ardeaglais i soitheach gloine.

Leánn an fhuil ocht n-uair déag in aghaidh na bliana,

(i) le linn a fhéile (19 Meán Fómhair) agus gach lá ar feadh seacht lá eile ina dhiaidh;

(ii) ar an Satharn roimh an gcéad Dhomhnach i Mí na Bealtaine agus ar na hocht lá ina dhiaidh;

(iii) ar an séú lá déag de Mhí na Nollag.

Luaitear an feiniméan chomh fada siar leis an gceathrú haois déag. Is amhlaidh a chasann an sagart an soitheach suas agus síos in aice cloigeann an naoimh ar an altóir ag na tráthanna áirithe seo. Idir an dá linn bíonn an pobal ag guí go dian. Nuair a leánn an fhuil fógraíonn an sagart os ard "Tá an mhíorúilt tarlaithe." Casann cléir agus tuath an "Te Deum" ansin mar chomhartha buíochais **(Ryan, 1966, Art. Januarius, 7, 827-828)**.

Baineann an Satharn roimh an gcéad Dhomhnach de Mhí na Bealtaine le haistríu na dtaisí ó mhainistir Monte Vergine go Napoli sa bhliain 1497, agus an dáta 16 Nollaig le seachaint bhrúchtadh Vesuvius sa bhliain 1631 **(Butler, 1956. 3, 594-595)**.

Cé gur aisteach an feiniméan é seo, is aistí fós go mbaineann na tarlaithe seo le dátaí mórchiallacha an fhéilire, 'sé sin le rá, grianstad an gheimhridh, Bealtaine agus cónocht an fhómhair.

Cé go spreagann sé deabhóid mhuintir na háite, ní hé sin le rá go bhfuil an feiniméan seo mar chuid de liotúirge oifigiúil na hEaglaise agus is eisceacht é dáiríre ón ngnáththraidisiún. I gciall áirithe tagann Naomh Ianuarius ar ais ón alltar le linn a fhéile agus sa tslí sin tá cosúlacht éigin le haithint idir é féin agus Bríd. Ach ní luíonn ceachtar den dá chás isteach le nósmhaireacht na hEaglaise i gcoitinne.

Tá gnáthmheon na hEaglaise le feiceáil i dtaobh na naomh san ortha a ghabhann lena bhféilte sa Missale Romanum. De ghnáth, ní bhíonn ach roinnt bheag smaointe le fáil sna horthaí oifigiúla seo – tá féile na naomh seo á cheiliúradh againn faoi láthair, rinne sé gaisce spioradálta nuair a mhair sé ar talamh, agus é ar neamh anois go ndéana sé idirghuí ar ár son, go raibh a eiseamláir ina ionspioráid dúinn. Léireoidh roinnt samplaí na smaointe seo:

A Dhia, a chuir ar fáil do do mhuintir Ambrós beannaithe mar threoraí chun na beatha síoraí, deonaigh dúinn, achainimid, an naomh seo, a thug teagasc ár leasa dúinn abhus, a bheith ag guí orainn sna Flaithis.

Go dtaga Naomh Lúise, maighdean agus mairtíreach, i gcabhair orainn lena hidirghuí ghlórmhar, impimid ort, A Thiarna. Go ndéanaimid a lá féile a cheiliúradh abhus agus í a fheiceáil thall ar feadh na síoraíochta.

A Dhia, thogh tú Naomh Maitias le bheith ar do mheitheal aspal. Trína idirghuí, tabhair dúinne, ar mór linn do ghrá, go mb'fhiú sinn a bheith ar chomhluadar na bhfiréan ar neamh.

Tá an traidisiún soiléir. Tá na Naoimh go seascair súgach ar neamh. Déanann siad idirghuí ar ár son ach níl fonn ar bith orthu filleadh arís ar "gleann seo na ndeor."

Féachaimis anois ar thraidisiún neamheaglasta i dtaobh fhilleadh duine osnádúrtha ar an saol seo go rialta.

Ar an gcéad dul síos, féachaimis ar Áine Cliach – Bandia amhra Loch Ghair agus Chnoc Áine i gContae Luimnigh, príomhshuíomh a cultais cé go mbaineann sí le háiteanna eile mar Chnoc Áine, Teileann, Contae Dhún na nGall, Cnoc Áine agus Lios Áine, Contae Dhoire agus Dún Áine, Contae Lú. I nDún Áine bhí baint aici le Féile Lúnasa *(Ó hÓgáin, 1991, 21)*.

"Áine is sometimes to be seen, half her body above the waters, on the bosom of Loch Guirr, combing her hair, as the Earl of Desmond beheld her by the bank of the Camóg.The commoner account is that she dwells within the hill which bears her name, and on which she has often been seen. Every Saint John's Night the men used to gather on the hill from all quarters. They were formed in ranks by an old man called Quinlan, whose family yet (1876) live on the hill; and 'cliars', bunches, that is, of straw and hay tied upon poles, and lit, were carried in procession round the hill and the little moat on the summit, 'Mullach-Crocháin lámh-le-leab'-an-Triúir' (the

hillock-top near the grave of the three). Afterwards people ran through the cultivated fields, and among the cattle, waving these 'cliars', which brought luck to crops and beasts for the following year. One Saint John's Night it happened that one of the neighbours lay dead, and on this account the usual 'cliars' were not lit. Not lit, I should say, by the hands of living men; for that night such a procession of 'cliars' marched round 'Cnoc Áine' as never was seen before, and Áine herself was seen in the front, directing and ordering everything. On another Saint John's Night a number of girls had stayed late on the hill, watching the 'cliars' and joining in the games. Suddenly Áine appeared among them 'thanked them for the honour they had done her', but said that now she wished them to go home as 'They wanted the hill to themselves.' She let them understand whom she meant by 'they', for calling some of the girls she made them look through a ring, when behold, the hill appeared crowded with people before invisible. Áine is spoken of as 'the best~hearted woman that ever lived'; and the oldest families about Knockainy are proud to claim descent from her. These 'Sliocht-Áine' (descendants of Áine) include the O'Briens, Dillanes, Creeds, Laffins, O'Deas. We must add Fitzgeralds, what few remain thereabouts. The meadow-sweet, or queen-of-the-meadow, is thought to be Áine's plant, and to owe to her its fragrant odour."
(RC, IV, 189 – 190)

Ceanglaíonn an gnáththraidisiún Oíche Bhealtaine, agus Oíche Shamhna go háirithe, le teacht i láthair an Aos Sí ar an saol seo. Bhíodh na bruíonta Sí ar oscailt na hoícheanta sin. Bhíodh an Púca ag gabháil timpeall agus na mairbh ag teacht ar ais chun cuairt a thabhairt ar a seantithe. **(Rees, 1976, 89-90)**

Cuirtear an dá dhream le chéile go néata sa scéal 'Echtra Neraí' – tagann na Tuatha Dé Danann as an Sí, Oíche Shamhna, agus tugann an fear crochta cuairt ar thithe na mbeo.
(RC 1889, 212-228)

Taobh amuigh den rud bliantúil ginearálta seo, áfach, ar bhonn níos pearsanta agus níos cóngaraí do chás Bhríde, thagadh Ailléan Mac Midhna ó Shí Charn Fhionnachaidh go Teamhair na Rí le linn lá líotha na Samhna ag seinm ceoil draíochta a chuireadh codladh ar na daoine. Ansin, thagadh tine as a bhéal a chuireadh Teamhair trí thine **(Acall. 1661-1670)**.

Mar an gcéanna, thagadh an Bhean Sí, Rothniamh, amach as Sí Chliach ar Chnoc Áine, i gContae Luimnigh, gach oíche Shamhna chun bualadh le Fíngen Mac Luchta agus cuntas a thabhairt dó ar na nithe tábhachtacha a thitfeadh amach in Éirinn i rith na bliana. Baineann an scéal 'Airne Fíngein' go dlúth leis an bhfáidheadóireacht. **(Ed. Vendryes, 1953)**

Tagann cuntas suntasach ó Phádraig Ó Fionúsa, i nDéise Mumhan, mar gheall ar an traidisiún a bhaineann le Parthanán an Fhómhair. Tagann seisean ar ais ón alltar go rialta gach bliain agus scriosann sé gach barr arbhair a bhíonn ina sheasamh:

"Tagann Lá Phárthanáin gairid do dheire an Fhoghmhair, agus bíonn gach aoinne ad iarraidh a chuid arbhair a bheith bainte aige fé dtiocfadh an lá sin, mar deirtear go ngabhann sé tímpal (sé sin Párthanán) ag bualadh an arbhair, agus ná fágfadh sé gráinne síl ar aon arbhar ná beadh bainte. Aoinne ná beadh sé ar a chumas an t-arbhar a bheith bainte aige rithidís bata air sa tslí ná faigheadh Párthanán teacht air chun é bhualadh. Is gnách stoirm tímpal an lae sin a mhilleann arbhar a bhíonn 'na sheasamh. Is dócha gurab é seo a cuireadh i gcomparáid le fear ag bualadh agus ag briseadh an arbhair." **(Béal, 3, 1932, 284)**

Is dócha go bhfuil an ceart ag Pádraig Ó Fionúsa nuair a mholann sé gur pearsanú den stoirm a thagamn ag deireadh Mhí Lúnasa atá i bPárthanán. Ach b'fhéidir go bhfuil nasc éigin ann le Naomh Bairtliméad, Aspal, a bhfuil a lá fhéile ar an gceathrú lá fichead de Mhí Lúnasa. I bhFéilire Oengusso, áfach, tá a lá fhéile ar an gcúigiú lá is fiche agus sna lss tá foirmeacha difriúla dá ainm le fáil - Bartholom, Parthalon, agus Partholan **(Stokes, 1905, 178)**. Tá an t-ainm deireanach seo an-chóngarach do 'Párthanán.' B'fhéidir, chomh maith, go bhfuil macalla ann den Phartholón a luaitear sa Leabhar Gabhála. Shroich seisean Éire 'Dia Mairt, for sechtmad decc esca, for callan mai'. **(Macalister, 1940, 3, 4)** Sa Bhéaloideas, tugtar 'Beartla na Gaoithe' air **(Ó Súilleabháin, 1942, 343)**.

Faoi láthair, is ar an Satharn is cóngaraí d'fhéile Bairtliméad a bhíonn an gnás 'Burning Bartle' ar siúl i West Witton, Yorkshire. Sa cheiliúradh spleodrach seo dóitear dealbh 'Bartle' (Taylor, 1987, 32-33).

Is féidir filleadh Bhríd ón alltar a shuíomh taobh istigh den chóras seo. Is córas é a thrasnaíonn an teorainn idir an saol thall agus an saol abhus.

Tá sampla maith againn den chreideamh i nduine osnádúrtha a fhilleann ón alltar go rialta ar dháta áirithe sa traidisiún a bhaineann le San Nioclás (6 Mí na Nollag).

Tá an traidisiún seo láidir sa Bheilg agus san Ísiltír go háirithe.

Ina lán áiteanna bíonn daoine ag gabháil thart ó theach go teach i riocht Niocláis agus a lucht leanúna ar bhigil na féile (5 Mí na Nollag). Bíonn San Nioclás gléasta mar easpag, mítéar ar a cheann aige, bachall ina láimh aige. Cuireann siad ceist ar na tuismitheoirí i dtaobh bhéasaíocht na leanaí agus geallann siad bronntanais do na leanaí maithe ar maidin. Roimh dhul a chodladh dóibh cuireann na leanaí a mbróga i leataobh agus féar nó tuí leo i gcomhair each bán an Naoimh. Cuirtear meacan dearg amach leis, ar eagla gurb asal a bheidh ag Naomh Nioclás agus é ag gabháil timpeall, mar tá dúil ag asail i meacain dearga de réir an traidisiúin.

Nuair a dhúisíonn na leanaí ar maidin, bíonn an féar agus araile imithe agus bréagáin, milseáin agus mar sin de ina n-ionad.

Más leanaí drochbhéasacha atá i gceist, áfach, beidh an féar agus araile ann fós agus slat in ionad bronntanais (Miles, 1976, 219). Síleann saoithe áirithe gur leagan Críostaí den dia págánta Woden atá i San Nioclás (Miles, 1976, 208).

Tabharfar faoi deara cé chomh cóngarach is atá an córas seo do chóras Bhríde.

Tá dhá mhír bhunúsacha chun tosaigh. Ar an gcéad dul síos bíonn gnás cuairte ar siúl ina dtéann geamaire timpeall i riocht Niocláis.

Feicfimid ar ball go bhfuil gnás na Brídeoige an-chosúil leis an nós seo. Téann dream daoine timpeall ó theach go teach ar bhigil Fhéile Bríde ach, de ghnáth, is dealbh de Bhríd (an Bhrídeog) a bhíonn acu chun Bríd a chur i láthair.

Is é an rud atá sa dara háit ná an creideamh go dtiocfaidh Nioclás ar ais go dofheicthe níos déanaí san oíche chun bronntanais a thabhairt do na leanaí.

Mar an gcéanna, anseo in Éirinn, bhí an creideamh ann go mbeadh Bríd ag teacht ar ais go dofheicthe níos déanaí san oíche chun beannacht a chur ar an bpíosa éadaigh a d'fhágtaí taobh amuigh den doras, ar an bpunann a d'fhágtaí ar an tairseach, agus mar sin de, agus tríothusan ar mhuintir an tí.

Fiú amháin, maidir leis an sonra i dtaobh an bhia a fhágtar i leataobh do chapall/asal Niocl(ois, uaireanta d'fhágtaí punann arbhair ar an tairseach do bhó bhán Bhríde a bhíodh in éineacht léi agus í ag déanamh a cuairte **(Danaher, 1972, 15)**.

I gcás na Féile Bríde, gníomhaíonn lucht na Brídeoige, nó lucht Ghnás na Tairsí, an geamaire i dtús na hoíche agus ansin tagann Bríd ar ais ón alltar níos déanaí. Ach i ngníomhú an ghnáis ní dhéantar an deighilt sin agus smaoinítear ar an ngnás mar aonad ina bhfuil an geamaire féin agus a thoradh in éineacht. Beidh sé sin níos soiléire le linn 'Gnás na Tairsí' a bheith á scrúdú againn. Ar thaobh amháin de, cuirfear in iúl go bhfuil Bríd i láthair i ngníomhú an ghnáis; ar an taobh eile de tá Bríd le teacht fós. Ní hionann é agus gnáthchoincheap den am mar rud céimneach ag dul ón tráth atá thart go dtí an tráth atá le teacht. Sa ghnás, cuirtear an dá thráth le chéile.

Sa chomhthéacs seo, luaitear go minic 'Cherubikon' nó 'Iomann na gCeribíní' an Aifrinn sa Deasghnáth Biosantach:
"Sinne a ghlacann go rúndiamhrach ionad na gCeribíní a chanann don Tríonóid – údar na beatha – an t-iomann naofa faoi thrí, cuirimis i leataobh anois gach cúram saolta chun go mbuailfimis le Rí na Cruinne a thagann in éineacht le sluaite dofheicthe aingeal, Alleluia, alleluia, alleluia"

Canann an cór an rann seo le linn shiúlóid na nOfrálacha

agus an sagart ag iompar an aráin agus an fhíona go sollúnta ón 'Prothesis' nó taobhshéipéal go dti an altóir. Sléachtann an pobal síos go talamh le linn na siúlóide – go díreach faoi mar a dhéanfaidís dá mbeadh Críost sa tSacraimint Rónaofa ag gabháil thart. I bhfocail eile, glactar leis go bhfuil Críost ann cheana féin cé nach bhfuil an coisreacan tagtha fós.

Déanann Adrian Fortesque cur síos ar an bhfeiniméan seo:
"This reference to the 'King of all things' long before the consecration, is a conspicuous case of what is common to all rites (especially this one), namely a dramatic representation that does not correspond to the real order of time. There are instances of this in the proskomide, where the bread is called the 'Lamb' and treated as if already consecrated at the very beginning." **(1908, 85-86, footnote).**

Bhíodh nósanna faoi leith ag baint le naoimh eile seachas Naomh Nioclás a bhfuil a líthlá cóngarach don Nollaig agus do ghrianstad an gheimhridh, 'sé sin le rá Naomh Tomás (21 Mí na Nollag).

I sráidbhailte áirithe sa Bhoithéim chreidtí go mbíodh Tomás ag filleadh ón alltar go rialta gach bliain ar bhigil a fhéile (20 Mí na Nollag). Ceaptar, arís, go bhfuil dia págánta éigin mar Odin nó Woden taobh thiar den fheiniméan seo. Bhíodh an Naomh ag tiomáint carbad tine timpeall na háite um mheánoíche. Sa reilig, bhíodh na mairbh darbh ainm Tomás ag feitheamh leis. Thugaidís cabhair dó, de réir chreideamh na ndaoine, túirlingt óna charbad tine agus dhéanadh sé achainí ag cros mhór na reilige. Bhíodh an chros ag drithliú le solas dearg rúnda. Ansin, chuireadh sé a bheannacht ar gach Tomás marbh a bhíodh i láthair agus d'imíodh na mairbh ar ais go dtí a n-uaigheanna.

Bhíodh na beo ag éisteacht le huafás leis an gcarbad ag gabháil thart. Dhéanaidís guí chun Tomáis Naofa iad a chosaint ó gach olc agus chroithidís uisce coisricthe ar na ba. Chaithidís salann ar cheann gach beithígh leis an rann:
"Go sábhála Naomh Tomás thú ó gach tinneas"
(Miles, 1976, 224-225).

Caibidil a Ceathair

LEABA BHRÍDE

Ní amháin gur chreid daoine go mbíodh Bríd ag gabháil thart ar an Oíche Naofa, ach creideadh in áiteanna áirithe go mb'fhéidir go bhfanfadh sí ar feadh na hoíche agus dá bhrí sin, go mbeadh leaba ag teastáil uaithi. Seo an bunús atá le 'Leaba Bhríde.' Léiríonn an sliocht seo a leanas cé chomh dáirire a bhí an creideamh i bhfilleadh Bhríde ón alltar:

"Another old lady still makes a St. Brigid's Bed but it is made of the ends cut off the rush crosses. All the ends are put in a corner in the form of a bed and covered by a white linen sheet. After the bed is made, this old lady when night falls, goes to the door and says in a loud voice: 'Come Saint Brigid' and returns to the rush bed leading imaginatively St. Brigid by the hand."

(IFC 904; 310; Imelda O'Loan, Krook-na-hai, Glenravel, Contae Antrim, a d'aithris; T. Marrion, Creeve, Randalstown, Contae Antrim, a scríobh)

Sa timpeallacht chéanna ar imeall Pharóiste Sceirí dhéantaí Leaba Bhríde chomh maith, ach ba leis na crosa féin a dhéantaí í agus ndiaidh a déanta chroití uisce beannaithe agus *dhéanadh muintir an tí an paidrín a rá timpeall na leapa:*

"This (Leaba Bhríde) was left all night in the kitchen and the door left open for St. Brigid. In the morning if the bed of crosses remained undisturbed, a cross was hung outside every door of the building."
(IFC 904; 310; Imelda O'Loan, Krook-na-hai, Glenravel, Contae Antrim, a d'aithris; T. Marrion, Creeve, Randalstown, Contae Antrim, a scríobh)

Is léir ón gcuntas go scrúdaíodh na daoine an leaba ar maidin ag iarraidh a fháil amach ar chodail Bríd ann i rith na hoíche. Tá tagairt eile don nós seo i dtuarascáil ón mBaile Meánach, Contae Aontroma; cuireann an scríbhneoir ceist ar an aithriseoir go díreach ar an ábhar seo:

"Had the old people any beliefs about St. Brigid's Bed?"
"St. Brigid herself came and lay in it. The old people would swear to that. They said that they always found traces of where she had lay (lain) in it."
(IFC 904; 279; William John Campbell, Craigsdunloof, Ballymena, Contae Antrim, a d'aithris; Pádraig Mac Giolla Bhuí, 12 Larne St., Ballymena, a scríobh)

Ag an am céanna, tabharfar faoi deara sa chuntas eile thuas nach raibh sé cinnte i gcónaí gur chodail Bríd sa leaba agus sa chás nach mbíodh comhartha di le fáil ar maidin chrochtaí na crosa taobh amuigh de gach doras. Sa chás faoi leith seo caithfimid a chur san áireamh go raibh na crosa déanta cheana féin agus gurbh iad ábhar na leapa iad ag feitheamh le teacht Bhríde chun luí ar an leaba agus a rath agus a beannacht a chur orthu. Ach gan teacht Bhríde ní bheadh aon bheannacht ar na crosa agus mar sin bheadh ar na daoine smaoineamh ar chleas eile chun í a fháil, mar rachadh beannacht Bhríde ón gcros go dtí muintir an tí agus a gcuid eallaí. 'Sé an rud a bhí i gcur na gcros taobh amuigh den doras an mhaidin dár gcionn, de réir cosúlachta, ná iarracht eile ar bhua Bhríde a fháil trí mheán na croise. Agus muid ag iarraidh dul taobh thiar den chleachtadh sa chás seo, luíonn sé le ciall, go gceapfadh na daoine go mb'fhéidir gur cuireadh moill ar Bhríd agus gurbh é sin an fáth nár tháinig sí i rith na hoíche ach go mb'fhéidir go mbeadh sí ag gabháil thart ar

maidin nó i rith an lae agus go gcuirfeadh sí a beannacht ar
an gcros.

Feicfimid anois go raibh nós mar seo – 'Leaba Bhríde' – ar siúl
in Albain (L. 24) chomh maith agus ós rud é go bhfuil
Aontroim agus Albain cóngarach dá chéile is cosúil go raibh
ceangal cultúrtha éigin eatarthu. Tugann Alexander
Carmichael cuntas cuimsitheach ar an ábhar seo i *Carmina
Gadelica* **(Edinburgh 1972), I, 167-168):**

*"The older women are also busy on the Eve of Bride, and great
preparations are made to celebrate her Day, which is the first day of
spring. They make an oblong basket in the shape of a cradle, which
they call 'leaba Bride', the bed of Bride. It is embellished with much
care. Then they take a choice sheaf of corn, generally oats, and
fashion it into the form of a woman. They deck this ikon with gay
ribbons from the loom, sparkling shells from the sea, and bright
stones from the hill. All the sunny sheltered valleys around are
searched for primroses, daisies, and other flowers that open their
eyes in the morning of the year. This lay figure is called Bríde,
'dealbh Bríde,' the ikon of Bríde. When it is dressed and decorated
with all the tenderness and loving care the women can lavish upon
it, one woman goes to the door of the house, and standing on the
step with her hands on the jambs, calls softly into the darkness, 'Tha
leaba Bríde deiseal,' Bríde's bed is ready. To this a ready woman
behind replies, 'Thigeadh Bríde steach, is e beatha Bríde,' Let Bríde
come in, Bríde is welcome. The woman at the door again addressed
Bríde, 'A Bhríde! Bhríde thig a steach, tha do leaba deanta. Gleidh
an teach dh'an Triana, Bríde! Bríde, come thou in, thy bed is made.
Preserve the house for the Trinity. The women then place the ikon of
Bríde with great ceremony in the bed they have so carefully prepared
for it. They place a small straight white wand (the bark being peeled
off) beside the figure. This wand is variously called 'slatag Bríde,'
the little rod of Brde, slachdan Bríde,' the little wand of Bríde, and
'barrag Bríde,' the birch of Bríde. The wand is generally of birch,
broom, bramble, white willow, or other sacred wood, 'crossed' or
banned wood being carefully avoided. A similar rod was given to the
kings of Ireland at their coronation, and to the Lords of the Isles at*

their instatement. It was straight to typify justice, and white to signify peace and purity – bloodshed was not to be needlessly caused. The women then level the ashes on the hearth, smoothing and dusting them over carefully. Occasionally the ashes, surrounded by a roll of cloth, are placed on a board to safeguard them against disturbance from draughts or other contingencies. In the early morning the family closely scan the ashes. If they find the marks of the wand of Bríde they rejoice, but if they find 'lorg Bríde', the footprint of Bríde, their joy is very great, for this is a sign that Bríde was present with them during the night, and is favourable to them, and that there is increase in family, in flock, and in field during the coming year. Should there be no marks on the ashes, and no traces of Bríde's presence, the family are dejected. It is to them a sign that she is offended, and will not hear their call. To propitiate her and gain her ear the family offer oblations and burn incense. The oblation generally is a cockerel, some say a pullet, buried alive near the junction of three streams, and the incense is burnt on the hearth when the family retire for the night."

Léiríonn na tuairiscí ó Chontae Aontroma go raibh saibhreas thar barr ag gabháil le cultas Bhríde i lár an Chontae sa limistéir thoir-thuaidh den Bhaile Meánach ach go háirithe. Ní amháin go raibh tuiscint ar fhilleadh Bhríde ón alltar le linn a féile go láidir i measc na ndaoine ach cuireadh in iúl í go drámata i nGnás na Tairsí agus go mór mór sa 'Leaba Bhríde'. Toisc nach bhfuil an nós seo róchoitianta ar fud na hÉireann is féidir féachaint ar an limistéir áirithe seo mar 'Cheantar Leaba Bhríde', ceantar inar caomhnaíodh gné faoi leith den chultas a cailleadh go forleathan má bhí a leithéid de nós le fáil riamh ar fud na tíre. Ós rud é go raibh an cleachtadh céanna le fáil in Albain dírítear ár smaointe ar aontas an dúchais idir an dá thír. Táimid go mór faoi chomaoin ag Pádraig Mac Giolla Bhuí a bhailigh an méid sin seanchais ó mhuintir na háite sar ar imigh sé gan filleadh go brách.

Mar a deir an tOllamh Séamas Ó Catháin:
"Much of the indoor activity associated with the celebration of the feast took place in the vicinity of the hearth or, as with the

preparation of the modest ceremonial repast, was actually centered upon it. A symbolic extra place might be set for the visiting saint and, similarly, sometimes a 'shakedown' bed of straw laid out for her by the fire-side" **(1995, 53)**

Caibidil a Cúig

CULTAS BHRÍDE
I MEASC NA CLÉIRE

D'ainneoin an deighilt sin idir gnáthnós na hEaglaise agus an creideamh láidir i bhfilleadh rialta Bhríde ón alltar gach bliain le linn a féile is léir go raibh a cultas beo beathach agus fairsing taobh istigh den Eaglais oifigiúil. Tá a fhianaise sin le fáil ó na féilirí liotúirge agus ón méid eaglaisí a tiomnaíodh di go háirithe. Tá an fhianaise ar fáil i gcéin agus i gcóngar.

Maidir le séipéil a tiomnaíodh do Naomh Bríd sa ré roimh an Athrú Creidimh léiríonn an taighde a rinne E.G. Bowen cé chomh fairsing agus chomh scaipthe is a bhí a cultas. Taispeánann a léarscáil an uimhir mhór de na séipéil sin in oirthear na hAlban; ansin, casann an sruth i dtreo an iarthair agus feictear cnuasach leanúnach de shuímh Bhríde ag rith síos ó chósta thiar-theas na hAlban trí chósta na Breataine, ag scaipeadh ar fud na Breataine Bige ar fad; roinnt bheag i nDevon agus in oirthear an Choirn agus ag imeacht thar farraige go cósta thuaidh agus thiar na Briotáine.

"It is estimated that there are (or were) as many as forty dedications to St. Brigit in the three departments of Cotes-du-Nord, Finistere, and Morbihan. In attempting to assess the significance of St. Brigid in Brittany, we have to remember not only the early Irish pirates and settlers who may have carried her name thither, but also the fact that in later times Irish missionaries and scholars spread the name of Ireland and Irish Christianity far and wide throughout western Europe and the cult of St. Brigid almost certainly followed in its wake. It is said, for example, that the great abbey of Landèvennec, on the coast of Finistere, had the closest contacts with Ireland, especially before the Northmen occupied Brittany in 9l9. In its neighbourhood we find several churches and chapels dedicated to St. Brigit. Furthermore, we must not think of these Irish contacts solely in piratical or even in ecclesiastical terms – there would appear to be much legitimate commerce as well." **(Bowen, 1973-1974, 46)**

Baineann aisteacht éigin le patrún na dtiomnaithe do Naomh Bríd in Éirinn. Tá formhór mór na dtiomnaithe i gCúige Laighean agus tá follúntas aisteach le feiceáil i dtuaisceart na tíre taobh thuaidh de líne ag dul ó Dhún Dealgan go deisceart Chontae Mhaigh Eo agus tá an feiniméan céanna le feiceáil i gCúige Mumhan **(Bowen, 1973-1974, 36)**.

B'fhéidir go mbaineann an dáileadh seo le mainistreacha móra na meánaoiseanna. Ar an taobh eile den scéal cuireann John O'Hanlon in iúl nach raibh i seilbh Colgan – agus Beatha Bhríde á cur in eagar aige – ach liostaí ó na deoisí seo: Baile Átha Cliath, Tuaim, Cill Dara, Ail Finn, Lios Mór **(O'Hanlon, 1875, 2, 193)**.

Nuair a chuirtear san áireamh méid agus saibhreas an chnuasaigh Bhéaloidis a bhailigh Cumann Béaloideasa na hÉireann ó na ceantair seo atá beagnach folamh ó thaobh tiomnaithe oifigiúla de, is léir go bhfuil dhá shraith le cultas Bhríde – sraith na Cléire agus sraith na Tuaithe – le tabhairt faoi deara agus go bhfuil difríocht mhór eatarthu.

I bhFéilire Glastonbury, ón deichiú haois, tugtar mar cheannlíne 'KL Februarii. Sanctae Brigidae virginis' don chéad lá d'Fheabra **(Wormald, 1934, 45)**. Tá fianaise den chultas sin le feiceáil i seanchas agus i seandálaíocht na háite.

Tugtar 'Glostimber na nGoedel' ar Glastonbury na Breataine i bhFéilire Oengusso **(Stokes, 1905, 188)** agus ceanglaítear an áit le SeanPhádraig. Bhíodh Gaeil ina gcónaí ann agus fós tá áit in aice leis an mbaile ar a dtugtar 'Beckery', 'sé sin le rá 'Becc Ériu'. Bhí Naomh Bríd lonnaithe gar do chill tiomnaithe do Naomh Máire Mhagdailéin agus bhíodh a clog agus a fearsaid le feiceáil ag oilithrigh chun na háite. Tá plaic ar an túr ar mhullach an 'Tor' a thaispeánann Bríd ag bleán a bó **(Michell, 1990, 10-11)**.

Tá plaic den saghas céanna di i Séipéal Mhuire sa tseanmhainistir agus ceaptar go dtéann an fhíor sin siar go dtí an dóú haois déag **(Mann, 1986, 15)**.

In Éirinn féin fógraíonn Féilire Tamhlachta (8ú-9ú haois) Féile Bríde ar an gcéad lá d'Fheabhra:
"Dormitatio sancti Brigitae lxx anno aetatis suae."
(Best and Lawlor, 1931, 14)
(Dul chun suain Bhríde Naofa ar an seachtódú bliain dá haois).

Mar an gcéanna le 'Félire Oengusso Céli Dé' (8ú-9ú haois):
"Mórait calaind Febrai fross martir már nglédenn, Brigit bán balc núalann, cenn cáid caillech n-Érenn."
(Mórán fras mhór mairtíreach glé an chéad lá d'Fheabhra. Bríd bhán thréan fhiúntach, ceann naofa chailleacha (mná rialta) na hÉireann) **(Stokes, 1905, 58)**.

Aisteach go leor, i bhfógra na Féile Bríde sa *Martyrologium Romanum* **(1913, 35)** luaitear ceann de na míorúiltí a bhaineann lena beatha:
"In Scótia sanctae Brigidae Virginis, quae cum lignum altáris tetigísset in testimonium virginitátis suae, statim víride factum est."
(In Éirinn (Féile) Bríde Naofa an Mhaighdean. Nuair a theagmhaigh sí le hadhmad na haltóra mar chruthú ar a maighdeanas bhláthaigh sé lom láithreach).

Bhí cultas Bhríde scaipthe in iarthar na hEorpa chomh maith agus tá iarsmaí den chultas sin le feiceáil fós in áiteanna ar fud na Mór-Roinne:

"The saint of Kildare enjoys a remarkable popularity through all western Europe. There is no doubt, moreover, that this popularity is due to the very intense propaganda carried on in favour of their national saints by Irish monks, missionaries, and peregrini wherever they penetrated." **(Gougaud, 1923, 104).**

Imeasc na n-áiteanna sin bhí Reichenau, Echternach, Nevelles, Sankt Gallen, Liège, Mainz, Strasbourg, Schotten, Liestal, Genova.

Tá rud faoi leith le tabhairt faoi deara i gcuid de na samplaí, 'sé sin le rá nach bhfuil an cultas chomh h-eaglasta agus a bheifeá ag súil leis. Ní fhanann sé taobh istigh den séipéal. Tá nasc le feiceáil le beannú agus le cosaint eallaí na bhfeirmeoirí faoi mar atá in Éirinn. Bhain an ghné sin den chultas leis an gcleachtadh sna ceantracha Saint-Omer, Fosses, Köln, Amay. I Fosses sa Bheilg beannaítear slaitíní in onóir do Bhríd agus buaileamn na feirmeoirí a gcuid eallaí leo. In Amay na Beilge beannaítear créafóg agus scaipeamn na feirmeoirí í ar an talamh chun na ba a chosaint ó mhí-rath **(Gougaud, 1923, 103-112)**.

Léiríonn raon fairsing an chultais i dtíortha thar lear tábhacht Bhríde sa tír a thug an oiread sin spreagadh dó i dtús báire.

As an méid a léiríodh ar chultas Bhríde i gcéin is i gcóngar níl aon amhras ach go raibh stádas ard onórach aici ar fud iarthar na hEorpa taobh istigh den Eaglais Oifigiúil.

Ach is léir ag an am céanna ó chuid de na cleachtaí a bhain léi go raibh gnéithe áirithe ag baint le Bríd, agus go mór mór an lé a bhí aici le torthúlacht na talún agus an nós a bhí aici filleadh ón alltar gach bliain, nár luigh isteach go seascair le gnáthnós na Críostaíochta. Mar a chonaiceamar, d'fhéadfadh fear stuama eaglasta éirí míshuaimhneach faoi chuid de na nithe aisteacha, dar leis, a bhain le céiliúradh na Féile Bríde.

CAIBIDIL A SÉ

NAOMH BRÍD AGUS BRÍD BANDIA

Éiríonn fadhbanna áirithe maidir le cultas Bhríde san Eaglais toisc na difríochtaí idir í féin agus formhór na Naomh san Fhéilire Rómhánach. Braitear go bhfuil blas na págántachta ag baint léi ar shlite áirithe. Beidh orainn cuardach in áit éigin eile seachas gnáthfhoinsí na Críostaíochta chun teacht ar réiteach na ceiste seo.

Mar phointe tosaigh, tugaimis aghaidh ar an tuairim a nochtann scoláirí áirithe i dtaobh ceangal éigin idir Bríd an Naomh Críostaí, Éarlamh Chill Dara, Banphatrún na hÉireann, agus Bríd (Brigit) an Bandia Ceilteach i ré na réamhChríostaíochta.

"Another goddess attested by inscriptions both in Gaul and Britain is the goddess Brigid... She appears to have been Christianized as St. Brigit, whose shrine is at Kildare, where her sacred fire was kept burning."
(Dillon and Chadwick, 1967, 144)

"Brigid est, a la difference de Minerve dans le panthéon classique, l'unique divinité feminine celtique. Elle n'est guere attestée sous ce nom a cause de l'assimilation ulterieure a la sainte chrètienne." **(Le Roux et Guyonvarc'h, 1982, 369)**

(Is í Brigit an dia baineann Ceilteach sainiúil. Sa tslí sin tá sí difriúil le Mhinearva i measc na ndéithe clasaiceacha. Is ar éigin atá sí le fáil faoin ainm seo, áfach, toisc í a bheith meascaithe leis an naomh Críostaí níos déanaí).

"But paradoxically, it is in the person of her Christian namesake St. Brighid that the pagan goddess survives best. For if the historical element in the legend of St. Brighid is slight, the mythological element is correspondingly extensive, and it is clear beyond question that the saint has usurped the role of the goddess and much of her mythological tradition." **(Mc Cana, 1970, 34)**

"De toutes les déesses du panthéon irlandais, la plus vénérée a du être san aucun doute Brighid, la fille du Daghdha, si l'on en juge par l'importance du culte adressé, non seulement en Irlande mais à travers toutes les terres celtiques, à celle qu'une habile politique de l'Église catholique lui a substitutée; sainte Brigide de Kildare." **(Sterckx, 1974-1975, 229-233)**

(Níl aon amhras ná go bhfuil sé le tuiscint ón ómós thar barr a tugadh do Bhríd Chill Dara – an Naomh a chuir polasaí glic na hEaglaise Caitlicí in áit an bhandé Brighid, iníon an Daghdha – go raibh a cultas níos tábhachtaí, ní amháin in Éirinn ach sna críocha Ceilteacha uile, ná an cultas a tugadh d'aon bhandia eile de phainteon na hÉireann).

Sa sliocht seo, tá Sterckx ag dul siar ó chultas an Naoimh go cultas an bhandé agus ag argóint go raibh cothromaíocht idir an dá chultas. Tugadh níos mó ómóis do Naomh Bríd ná d'aon bhan-naomh eile de chuid na hÉireann. Ciallaíonn sé sin, de réir na hargóna, go raibh an bandia Brighid níos tábhachtaí ná aon bhandia eile in Éirinn.

Más fíor gur thóg Bríd Chill Dara – an Naomh – áit an bhandé Brighid, is cosúil go raibh cosúlachtaí éigin le haithint eatarthu ó thus, nó gur cumadh cosúlachtaí i dtreo nach mbeadh difríocht ró-mhór le feiceáil idir an cleachtadh nua agus an seanchleachtadh. Luífeadh sé sin isteach go seascair leis an treoir a thug Gréagóir, Pápa, d'Aibhistín, Easpag Canterbury, maidir le haistriú theampaill na bpágánach go séipéil i gcomhair an liotúirge Chríostaí. Níor mhaith leis an bPápa cur isteach ar na nua-iompaithigh ach chomh beag agus a b'fhéidir. Sa tslí sin ní bheadh scoilt ró-mhór le haithint idir an seanchreideamh agus an creideamh nua:

"... fana idolorum destrui in eadem gente minime debeant, sed ipsa quae in eis sunt idola destruantur. Aqua benedicta fiat, in eisdem fanis aspergatur, altaria construantur, reliquiae ponantur, quia si fana eadem bene constructa sunt, necesse est ut a cultu daemonum in obsequium veri Dei debeant commutari, ut dum gens ipsa eadem fana non videt destrui, de corde errorem deponat, et, Deum verum cognoscens ac adorans, ad loca quae consuevit familiarius concurrat." **(Migne, 1849, 1 1176)**

(Ní ceart neimhidh íol na ndaoine seo a scrios ach chomh beag agus is féidir, ach scriostar na híola atá iontu. Déantar uisce a bheannú agus a chroitheadh sna neimhidh sin, tógtar altóirí agus cuirtear taisí isteach iontu, óir, má tá na neimhidh sin tógtha go maith, caithfear iad a aistriú ó chultas íol go hadhradh an FhíorDhé. Feicfidh na daoine nár scriosadh na neimhidh agus rachaidh siad le chéile go dtí na háiteanna a bhfuil taithí acu orthu. Sa tslí sin, cuirfidh siad a gclaonchreideamh i leataobh agus tabharfaidh siad adhradh agus aitheantas don FhíorDhia).

Sa chomhairle chiallmhar seo leag Naomh Gréagóir síos na treoracha, agus de réir a chéile fairsingíodh iad chun cúrsaí eile a chlúdach seachas teampaill phágánta amháin.

Más féidir leis an Eaglais glacadh le neimheadh págánta agus é a chur faoina brat cén fáth nach nglacfadh sí le tréithe eile den seanchreideamh a bhí fite fuaite le saol na ndaoine leis na cianta cairbreacha? Bheadh torthúlacht na talún agus na n-ainmhithe agus na ndaoine féin go mór chun tosaigh i sochaí a bhíodh ag brath ar an bhfeirmeoireacht. Nuair a nochtar tréithe mar sin san Eaglais is féidir smaoineamh orthu mar leathnú amach ar threoracha Ghréagóir Pápa.

Tá cur síos ar bhás an tiarna Shasanaigh Riocárd, 'sé sin le rá Strongbow – in Annála Ríoghachta Éireann faoin mbliain 1176. Fuair sé bás i mBaile Átha Cliath de bharr ailse sa chos agus de réir an chuntais ba thrí mhíorúilt Bhríde, Cholm Cille agus Naomh eile a milleadh é, mar bhí sé tar éis mórán dá gcuid séipéal a scriosadh. Díoltas na Naomh a bhí i gceist dáirire.

"At connairc siumh féisin brighit andarlais ag a mharbhadh" **(O'Donovan, 1856, 3, 24)**

(Chonaic sé féin Bríd, dar leis, á mharú).

Is i gcomhthéacs míleata chomh maith a fhoilsíonn Bríd í féin arís i gCath Almhaine. Cumadh an scéal atá le fáil i Leabhar Buí Leacáin agus i Leabhar Fhear Maí timpeall an chatha a troideadh idir Leath Choinn agus Leath Mhogha sa bhliain 718 nó 722. Cuireadh an cath ar Fheargal Mac Maoldúin; maraíodh ann é féin agus Donn Bó – ceoltóir cáiliúil Fhearghail – cé gur athbheodh arís é trí choimirce Cholm Cille – agus mórán eile. Níor thug Colm Cille aon chabhair dá mhuintir féin sa chath mar bhí Bríd le feiceáil ar foluain os cionn arm na Laighneach; agus tá sé le tuiscint ón gcuntas gur thug an taibhse sin an-mhisneach dá muintir:

"Níor fhan meanma Cholm Cille le Uí Néill chun fóirithint orthu sa chath sin ar bhfeiscint dóibh Bríd, ag foluain os cionn sluaite Laighean ag cur sceoin i muintir Leath Choinn, agus ba le hamharc Bhríde amhlaidh sin a briseadh an cath ar Fheargal agus ar Leath Choinn le Murchadh mac Bhrain, rí Laighean, agus le Aodh, rí dheisceart Laighean." **(Ó Floinn, agus Mac Cana, 1956, 214)**

I gCath Almhaine is léir gur Naomh Críostaí é Colm Cille. Ní hamhlaidh le Bríd. An Bhadhbh atá inti sa chath agus í ag eitilt mar fheannóg amplach os cionn na sluaite i bpáirc an áir, ag cur sceoin in arm an tuaiscirt. Is mar naomh, áfach, a bhaineann Bríd le Cúige Laighean ach go háirithe, agus múnlaíonn sé sin a hiompar mar Bhadhbh. Dá bhrí sin troideann sí ar thaobh na Laighneach.

Taispeántar an ceangal idir Bhríd agus na bandéithe eile sa ráiteas a rinne Cormac Mac Cuileannáin ina taobh:

"Brigit.i. banfile ingen in Dagdae. Isí insin Brigit bé n-éxe .i. bandéa no adratis filid. Ar ba romor ocus ba roán a frithgnam. Ideo eam deam vocant poetarum. Cuius sorores erant Brigit bé legis ocus Brigit be goibne ingena in Dagda, de cuius nominibus paene omnes Hibernenses dea Brigit vocabatur." **(Meyer, 1912, 150)**

Seo aistriúchán ar an sliocht:

"Bríd, 's é sin le rá, banfhile, iníon an Daghdha, is í ansin bé éigse, bandia a adhradh na filí, mar ba ró-mhór agus ba ró-án a friochnamh. Tugann siad bandia na bhfilí uirthi dá bharr. Mar dheirfiúracha aici tá Bríd, bé leighis agus Bríd, bé ghaibhneachta, iníonacha an Daghdha. Ó na hainmneacha seo thugtaí an t-ainm Bríd ar beagnach gach bandia Gaelach."

Ciallaíonn sé seo gur teideal níos mó ná ainm pearsanta atá i gceist san fhocal 'Brigit' agus luíonn sé sin isteach go seascair le brí bhunúsach an fhocail – 'an t-ard-duine'. Mar a deir Mac Cana:

"As regards function, therefore, Brighid was patroness of poetry and learning, of healing and of craftsmanship, and, as regards status, such was her prestige that her name could be used as a synonym for 'goddess'." **(1970, 34)**

Glacann Ó hÓgáin leis an idé chéanna:

"It is apparent that a goddess with whatever name could in archaic times be called 'brigit', this being an epithet for 'exalted' goddesses." **(1990, 60)**

San aistriú ó Bhrigit an bandia go Brigit an naomh, tuairimíonn Ó hÓgáin go raibh neimheadh págánta i gCill Dara sa luathré. Tugann ceist na dara agus a baint leis na draoithe leid áirithe sa treo sin. D'éirigh le Bríd – bean de na Fothartaigh – an neimheadh a Chríostú agus fuair sise mar oidhreacht ainm an bhandé – an t-ainm, de réir cosúlachta, a bhí ar phríomhbhandraoi an neimhidh.

Cé go ngabhann cuid mhaith tuairimíochta leis na smaointe seo, caithfear ag an am céanna, ceist na tine bithbheo i gCill Dara a chur san áireamh agus cosúlacht an chórais le córas Vesta na Róimhe.

Caibidil a Seacht

BRÍD AGUS AN TINE BHITHBHEO I gCILL DARA

Sa bhliain 1185 chuir Anraí a Dó, Rí, an cléireach Giraldus Cambrensis go hÉirinn ar cuairt. Tar éis roinnt ama a chaitheamh sa tír, d'fhill sé ar an mBreatain Bheag agus scríobh sé an leabhar clúiteach *Topographia Hiberniae*. Sa saothar sin chuir sé síos go mion ar na hiontais go léir a bhí le feiceáil in Éirinn dar leis. Ina measc bhí tine bhithbheo i mainistir Bhríde i gCill Dara agus bhí an-spéis aige san fheiniméan sin:

"At Kildare, in Leinster, celebrated for the glorious Brigit, many miracles have been wrought worthy of memory. Among these, the first that occurs is the fire of St. Brigit, which is reported never to go out. Not that it cannot be extinguished, but the nuns and holy women tend and feed it, adding fuel, with such watchful and diligent care, that from the time of the Virgin, it has continued burning through a long course of years; and although such heaps of

wood have been consumed during this long period, there has been no accumulation of ashes.

As in the time of St. Brigit twenty nuns were here engaged in the Lord's warfare, she herself being the twentieth, after her glorious departure, nineteen have always formed the society, the number having never been increased. Each of them has the care of the fire for a single night, the last nun, having heaped wood upon the fire, says, 'Brigit take charge of your own fire; for this night belongs to you.' She then leaves the fire, and in the morning it is found that the fire has not gone out, and that the usual quantity of fuel has been used.

This fire is surrounded by a hedge, made of stakes and brushwood, and forming a circle, within which no male can enter; and if any one should presume to enter, which has been sometimes attempted by rash men, he will not escape the divine vengeance. Moreover, it is only lawful for women to blow the fire, fanning it or using bellows only, and not with their breath." **(Wright, 1887, 96-97)**

D'fhan an tine bhithbheo seo ar lasadh síos go dti an tAthrú Creidimh taobh amuigh de sheal aimsire amháin, mar a mhiníonn Archdall:

"1220. In this year Henry de Loundres, archbishop of Dublin, put out the fire called unextinguishable, which had been preserved from a very early time by the nuns of St. Brigid; this fire was however relighted, and continued to burn till the total suppression of monasteries. The ruins of the Fire-house, or rather of the Nunnery, may yet be seen." **(Archdall, 1886, 329)**

Is deacair a rá cé chomh mór a bhí Giraldus Cambrensis faoi scáth na gClasaicí agus an cuntas ar thine Bhríde á thabhairt aige, ach is aisteach go bhfuil an uimhir 20 á lua aige mar líon na mban rialta – an uimhir chéanna as a roghnaítí na Maighdeanacha Veisteacha. In Éirinn bheadh an uimhir sin neamhchoitianta agus bheifí ag súil leis an uimhir naoi. Tugann A. agus B. Rees samplaí den úsáid fhairsing a baineadh as an uimhir sin: naoi gcoll na gaoise; Morgan la Fée agus a hochtar ban; Ruadh Mac Rigdoinn agus naonúr béithe na mara; Cathbhad, draoi, agus a ochtar deisceabal; Fionn

43

agus a ochtar Caoilte, agus mar sin de **(Rees, 1976, 192-193).**

Is léir go raibh tábhacht faoi leith ag baint leis an ngeis ar shéideadh na tine leis an anáil, mar luann Giraldus an feiniméan seo arís níos déanaí sa chuntas. De réir an scéil, chuaigh saighdhiúir thar an bhfál go dtí an tine agus d'análaigh sé uirthi. Léim sé amach as an áit lom láithreach agus é imithe as a mheabhair. Ón tráth sin amach, bhíodh sé ag gabháil timpeall ag análú ar aghaidheanna daoine, á rá: *"Is mar seo a shéid mé ar thine Bhríde."* **(O'Meara, 1951, 71)**

Agus é ag scríobh faoin mbandia Minerva, tagraíonn De Vries don chosúlacht atá le brath idir í agus Bríd.

Thugadh na Rómhánaigh adhradh di mar bhandia na heagnaíochta – b'fhéidir go mbaineann 'Min' agus 'mens' leis an bpréamhfhocal céanna – agus ba phatrún na n-ealaíon í **(Smith, 1834, 268).**

Díríonn De Vries ár n-aire ar an mbandia Sul agus a neimheadh i Bath sa Bhreatain, áit ina bhfuil a folcadáin theirmeacha le feiceáil fós agus traidisiún de thine bhithbheo ann:

"Il faut rappeler a ce sujet la déesse 'Sul' à adorée a Bath; Solin l'assimile à Minerve et dit qu'elle est une déesse des sources, entendons des sources thermales. Dans son temple brulait une flamme perpétuelle. Cela rappelle la déesse latine du foyer, Vesta, mais aussi la déesse irlandaise Brigit. Le nom 'Sul' doit signifier 'soleil'." **(1977, 86-87)**

Labhraíonn McCone faoin tuairim seo mar gheall ar an Minerva Rómhánach-Cheilteach lena toibreacha teasa leighis – Aquae Sulis:

"It thus seems quite likely that the Bath cult and its christianized Kildare counterpart related ultimately to the same goddess, variously known as 'Briganti' 'exalted one' or 'Sul' 'sun' cognate with Latin 'sol', Welsh 'haul', semantically shifted Irish 'súil' 'eye' and so on. At all events, the pagan Brigit's association with sun and fire seems to be beyond reasonable doubt." **(1990, 164-165)**

I gcomhthéacs na dtoibreacha beannaithe smaoinímid orthusan a bhfuil an t-ainm 'Tobar na Súl' ag gabháil leo (Ó Muirgheasa, 1936, 155, 158) agus mar an gcéanna orthu siúd a bhaineann le leigheas ghalar súl.

Labhraíonn sean-dán a chuirtear i leith Cholm Cille faoi Bhríd mar 'Fax aurea, praefulgida' agus 'Sol fortis et irradians'. (Kelly, 1857, 188)

Sa chomhthéacs seo is féidir a chur san áireamh bandéithe so-aitheanta na Mumhan – Aoibheall na Carraige Léithe, Ébliu, (Eibhleann), Aoife, Áine agus Grian – agus leid éigin ina n-ainmneacha go bhfuil baint acu leis an ngrian (Ó Corráin agus Maguire, 1981, 15; 82; 16; 19; 115).

Seisear Maighdean Veisteach a bhíodh ag freastal ar an tine bhithbheo i dTeampall Veiste sa Róimh ach i gcás easpa iarrthóirí dhéantaí an rogha as fiche maighdean. Ní raibh cead ag fir dul isteach sa teampall agus dá dtarlódh múchadh na tine ba mhór an tubaiste é mar ba shiombail de thinteán Phoblacht na Róimhe tine bhithbheo Veiste. I gcás mar sin, thitfeadh pionós trom ar an mhaighdean chiontach agus lasfaí an tine arís le gloine agus léas gréine. (Lempriere, 1866, 714)

Ar an gcéad lá de Mhárta athlasadh na Maighdeanacha Veisteacha an tine le cuimilt dhá phíosa adhmaid le chéile de réir an nóis ársa. Mharcáladh, mar sin, athadhaint na tine tús na bliana mar thosaíodh an bhliain nua le Mí an Mhárta sa seanfhéilire Rómhánach (James, 1961, 161).

Maidir leis an saghas adhmaid a bhíodh in úsáid i dtine Veiste, cuireann Frazer an tuairim seo chun cinn:
"In point of fact, it appears that the perpetual fire of Vesta at Rome was fed with oak-wood, and that oak-wood was the fuel consumed in the perpetual fire which burned under the sacred oak at the great Lithuanian sanctuary of Romove." (1923, 665).

45

Tá cosúlachtaí áirithe le feiceáil idir an cultas tine seo agus córas na Maighdeanacha Veisteacha:

Cill Dara	An Róimh
1 Tine bhithbheo	Tine bhithbheo
2 Faoi chúram Maighdean	Faoi chúram Maighdean
3 Cosc ar fhir	Cosc ar fhir
4 Fál cruinn	Teampall cruinn
5 Úsáid na darach	Úsáid na darach
6 Fiche mar uimhir	Fiche mar uimhir

De réir an traidisiúin, bhí tine bhithbheo le fáil i gCluain, Contae Chorcaí **(Killanin, and Duignan, 19786, 175)**; agus fós in Inis Mhuireadhaigh **(idem, 311)** agus i Saighir Chiaráin, Contae Uíbh Fháilí **(idem 120)**, chomh maith le Cill Dara.

De réir an scéil bhí leanbh mailíseach amadánta i Mainistir Chluana Mhic Nóis ag Ciarán óg; Crithid a ba ainm dó. Tháinig seisean ar chuairt go dtí seanChiarán i Saighir agus d'fhan ann seal. D'iarr seanChiarán air gan an tine choisricthe a bheannaigh sé an Cháisc roimhe sin a mhúchadh go ceann bliana ach í a bheathú agus a choimeád adhainte. Trí chathú an diabhail, áfach, mhúch an leanbh an tine. Dúirt Ciarán lena mhanaigh go dtiocfadh díoltas ar an leanbh dá bharr agus go bhfaigheadh sé bás amárach. B'fhíor dó, mar mharaigh mactíre é. Nuair a chuala Ciarán Cluana go raibh an leanbh marbh tháinig sé féin agus a chuideachta chuig seanChiarán i Saighir agus fearadh fíorchaoin fáilte rompu.

Ní raibh aon tine sa mhainistir, áfach, óir ba as an tine choisricthe a lastaí tine gach oíche agus gheall Ciarán nach mbeadh tine go Cáisc inti mura gcuirfeadh Dia ó neamh í.

Bhi sneachta ar an talamh agus chuaigh Ciarán amach agus shín sé amach a lámha chun Dé a ghuí go díocra. Leis sin, thit caor thintrí ó neamh isteach ina ucht agus leis an gcaor sin las sé tine na mainistreach **(O'Grady, 1892, 1, 14-15)**.

Sa chás seo, bhí tine bhithbheo i gceist ach mhúchtaí í roimh an gCáisc i dtreo go dtosódh an timthriall bliana arís. In ionad an tine a mhúchadh agus a athbheochan um Shamhain agus um Bhealtaine, an Cháisc atá i gceist anseo, agus is cosúil gurbh é an nós céanna a bhí ar siúl i gCill Dara. Is léir go raibh rúndiamhair ag baint leis an tine bhithbheo ós rud é gur cuireadh an leanbh a mhúch í chun báis trí dhíoltas neimhe cé gur athbheoigh Ciarán Chluana é níos déanaí.

I gcás Maighdeana Vesta lascfaí iad dá múchfaí an tine **(Schilling, 1987, 15; 251)**.

Níl aon tuairisc faoi mhúchadh na tine i gcás Chill Dara, ach is dócha go múchtaí agus go n-athlastaí í um Shamhain agus um Bhealtaine de réir nós na nGael, nó um Cháisc féin:
"The customs of both Eves have features characteristic of New Year celebrations generally; for example, the practice of divinations and the re-lighting of household fires from a ceremonial bonfire."
(Rees and Rees, 1976, 89)

Sa scéal a bhaineann le Míde sa Dindshenchas léirítear an tábhacht a bhain le hUisneach mar lár agus imleacán na tíre. Las Míde an chéad thine do Chlann Neimhidh in Éirinn agus ba ón tine sin a lastaí gach príomhthine. Dá bhrí sin, is dleacht dá chomharba mála arbhair agus muc a fháil ó gach teaghlach in Éirinn. **(RC. 15, 297)**

Bhí mainistir ag Aedh Mac Bricc i gCill Áir in aice le hUisneach agus foirgnimh tiomnaithe do Bhríd ann **(Gwynn and Hadcock, 1970, 392)**. Ba dhlúthchara le Bríd an lia cáiliúil Aedh agus ciallaíonn 'aedh' 'tine'. **(McCone, 1990, 165)**. Mar sin, tá leid ann go bhfuil nasc idir Aedh Mac Bricc agus Bríd agus Cnoc Uisnigh – *"symbolic centre of Ireland and site of an erstwhile fire ritual according to the Metrical Dindsenchus."*

Maidir le Saighir Chiaráin, deir Killanin agus Duignan:
"The place may previously have been a pagan sanctuary; a perpetual fire is said to have burned there."
(1967, 120)

Mar an gcéanna, i dtaobh Chill Dara deir McCone:

"the twelfth-century visiting cleric Giraldus Cambrensis describes a fire cult at her main church of Kildare that can hardly be other than a pre-Christian survival and is quite reminiscent of the Vestal fire tended by a college of virgins in ancient Rome." **(1990, 164)**.

Éiríonn leis an Ollamh McCone nasc suntasach a aithint idir an idé de thine agus Bríd mar Bhé Fhilíochta, mar Bhé Leighis agus mar Bhé Ghaibhneachta.

Is le tine a dhéantar cócaireacht, 'sé sin le rá, bia amh a aistriú óna riocht garbh – ina bhfuil sé oiriúnach d'ainmhithe – go dtí riocht níos séimhe i gcomhair an duine. Ó thaobh na siombalaíochta de is aistriú é seo ón nádúr fiáin go dtí an saol cultúrtha.

Mar an gcéanna, is trí úsáid na tine a dhéanann an gabha uirlisí treafa agus seodraí ealaíne. Baineaun an lia úsáid as an tine chun a chuid lusanna a bhruith agus iad a mhúnlú do chúrsaí leighis.

Is léir go bhfuil dlúthbhaint ag feidhmeanna seo na tine agus tréithe triaracha Bhríde.

Níl cleachtadh na dtréithe seo le feiceáil go forleathan, áfach, i mBeathaí Bhríde, ach is dealraitheach é go bhfuil siad ann faoi cheilt sa tslí ina bhfuil saol Bhríde ceangailte a bheag nó a mhór le triúr fear a bhfuil na tréithe seo acu i modh faoi leith, 'sé sin le rá an file cáiliúil Dubthach maccu Lugair, Aed mac Bricc, saoi-lia agus easpag, agus Conlaed, easpag Chill Dara 'primcherd Brigte' mar a thugann Féilire Oengusso air **(Stokes, 1905, 128)**. Cleachtann seisean ceird na gaibhneachta.

Ba mhaith le Dubthach maccu Lugair Bríd a phósadh. Diúltaíonn sí dó, áfach, ach díríonn sí é chuig bean álainn a phósfaidh é gan mhoill **(Bethu Brigte, par. 14)**.

Nuair a bhí tinneas cinn ar Bhríd chuaigh sí go dtí Aed mac Bricc chun leigheas a fháil **(Bethu Brigte, par. 26)**.

Dealraíonn sé mar sin, go bhfuil na tréithe a bhaineann le Bríd mar bhé na n-ealaíon agus a bhaineann leis an Aos Dána go háirithe le fáil, ach iad a bheith scaipthe i measc thriúr fear a bhí ceangailte lena saol.

Deir Caesar go n-adhrann na Ceiltigh Mercurius thar na déithe eile agus go gceapann siad gurbh eisean a chuir tús leis na healaíona go léir:
"Deum maxime Marcurium colunt... hunc omnium inventorum artium ferunt." **(Tierney, 1960, 244)**

Is ionann Mercurius (Hermes na nGréigeach) in aigne Chaesar, de réir dealraimh, agus Lugh na gCeilteach. Roimh Chath Maighe Tuiredh taispeánann Lugh é féin mar 'ildánach' – is saineolaí é ar na healaíona ar fad. Is suntasach go mbaineann Caesar agus an téacs Gaelach úsáid as beagnach an abairt chéanna **(Gray, 1982,40)**.

Sa sliocht céanna, cuireann Caesar síos ar Minerva (Athena na nGréigeach):
"Minervam operum atque artificiorum initia tradere," 'sé sin le rá gur thosaigh Minerva na healaíona agus na ceirdeanna. Is macalla é seo ó thaobh an bhandé de, ar an méid atá ráite cheana féin ag Caesar i dtaobh Mercurius.

Ó thaobh na nGael de, áfach, tá dlúthchosúlacht idir ráiteas Chaesar agus an méid a deir Cormac Mac Cuilleannáin i dtaobh Bhríde mar bhé éigse, bé leighis agus bé ghaibhneachta **(Stokes, 1862, 8)**.

Is féidir, mar sin, saghas ionannais a aithint idir Bríd agus Minerva agus mar a deir Mac Cana is léiriú é ar ardstádas na teicneolaíochta i measc na gCeilteach sa luathré **(1970, 34)**.

Is féidir ár n-aird a dhíriú anois ar an triúr a bhain go mór le Bríd ar thaobh amháin de, agus ar an taobh eile den scéal a raibh baint acu le dánta, 'sé sin le rá, Aed Mac Bricc, Dubthach mac Lugair agus Conlaeth. Bhain Aed Mac Bricc le Cell Áir (Contae na hIarmhí) ach go háirithe in aice le Cnoc Uisnigh, imleacán na hÉireann ó thaobh siombalaíochta de, agus suíomh na tine óna lastaí gach príomhthine in Éirinn. Mide mac Bratha meic Deatha a las í ar dtús í gcomhair Chlann Neimhidh **(RC XV, 297)**.

Tá a shuíomh dhá mhíle siar ó Uisneach agus bhí trí shéipéal ann – séipéal an pharóiste tiomnaithe do Aodh féin (Easpag) a fuair bás sa bhliain 588, ceann eile do Naomh Bríd, agus Cúirt Bhríde an t-ainm a bhí ar an tríú ceann. Bhí trí thobar beannaithe san áit chomh maith **(Archdall, 1786, 716).** Titeann féile Aodha ar an 10ú lá de Shamhain'.

Gabhann tréithe áirithe suntasacha a bhaineann leis an ngrian le hAodh. Eitlíonn a charbad tríd an aer **(De Smedt et De Backer, 1888, 354);** tiomáineann sé a charbad agus gan ach an t-aon roth amháin faoi, casann sé trombháisteach ón arbhar agus é á bhaint ag a mhuintir.

Feidhmíonn Aed mac Bricc mar lia do Bhríd agus tinneas cinn uirthi; **(Bethu Brigte, par. 29).** 'Suid-hiag' a thugtar air. **(ibid 29)** Ar aon dul he 'Daig', ciallaíonn 'Aed' 'tine'. **(DIL)** Sa tslí chéanna, tá caidreamh idir Bhríd agus an file cáiliúil Dubthach Maccu Lugair.

Mar an gcéanna le Conlaeth. Bhain seisean le dán na gaibhneachta agus ba Easpag ar Chill Dara é chomh maith, agus cara le Bríd.

Taispeántar mar sin na trí dánta a bhaineann leis an mbandia Bríd (nó na trí Bhríd): leigheas, filíocht agus gaibhneacht dáilte ar a triúr cara – Aodh agus Dubthach agus Conlaeth.

I gcás Bhríde, tabharfar faoi deara go bhfuil sí ildánach as a stuaim féin agus ag an am céanna tá macalla dá hildánacht ag teacht ar ais chuici trí thriúr fear – Aed mac Bricc (Leigheas), Dubthach maccu Lugair (Filíocht) agus Conlaeth (Gaibhneacht).

Is furasta an gaol idir an tine agus an ceardaí a thuiscint mar baineann an ceardaí úsáid as an tine chun bunábhar na miotalóireachta a oibriú agus a mhúnlú chun soithí agus gléasanna éagsúla a dhéanamh. Mar an gcéanna le cúrsaí leighis. Caithfidh an lia na lusanna a bheiriú chun cruth ceart a chur orthu i gcomhair an othair.

Tuigtear go mbaineann an tine go dlúth leis an diagacht, ní amháin sa phágántacht ach sa Chríostaíocht chomh maith, agus go bhfuil ról faoi leith aici i bhforbairt agus i gcaomhnú na sibhialtachta. Taobh istigh den tuiscint sin, tá Bríd lonnaithe mar 'breo-shaigit' (Sanas Cormaic) agus 'breo órde oíblech – in grén tind toídlech' **(Stokes and Strachan, 1903, 11, 325)**.

I mbeatha an Naoimh, leagtar an-bhéim ar fhéile Bhríde, ar an gcabhair a thugadh sí do dhaoine bochta, ar mhéadú bia agus dí agus ar chúrsaí teaghlaigh i gcoitinne. Déanann sí leann den uisce **(Bethu Brigte, par 8)**; méadaíonn sí feoil chun cúiteamh a dhéanamh sa mhéid a thug sí do mhadra **(Idem, par 13)**; méadaíonn sí leann i dtreo go mbeadh coirm le hól ag ocht n-eaglais déag Mhaigh Tailach ón gCáisc Mhór go dtí an MhionCháisc **(Idem. par 21)** agus mar sin de.

Tugann cuntais mar sin brugh agus brughaidh chun cuimhne agus na tréithe a bhainfeadh le reachtaire brugha sa seansaol chomh maith leis an gcúram a bhí air bia agus lóistín a thabhairt do thaistealaithe. Tuairimíonn McCone go mb'fhéidir go bhfuil tionchar éigin le haithint ó 'Brig briugu' a bhfuil trácht uirthi sa tráchtas dlí 'Cethirslicht Athgabhala' i mbeatha Bhríde:

"The Christian St. Brigit's cult or attributes may, then, be partly based upon those of the mythical female hospitaller whose name is preserved in a legal context as Brig the 'briugu'." **(1990, 162)**.

I 'Scéla Mucce Meic Dathó' deirtear go raibh cúig chinn de Bhruíonta in Éirinn: Bruíon Mhic Da Thó féin i gCúige Laighean, Bruíon da Derga i gcríoch Chualann, Bruíon Fhorgaill Mhanaich, Bruíon Mhic Da Reo i mBreifne agus Bruíon Da Choca in iarthar Mí **(Thurneysen, 1935, 11, 7-10)**.

In alt suntasach 'Religious Beliefs of the Pagan Irish' tuairimíonn J. O'Beirne Crowe go bhfuil nasc le haithint idir 'Brudin' (Bruidhin/Bruíon) na hÉireann agus 'Prytaneion' na Gréige. Tá cosúlacht idir na focail féin agus cosúlacht idir na córais.

Bhain an Prytaneion le tuath agus ba shiombail é de neamhspléachas na tuaithe sin. Bhí Hestia/Vesta, bandia an tinteáin, mar éarlamh aige agus tine bhithbheo ar lasadh ann. I gcás coilínithe, lasadh tine prytaneion na nuathuaithe ó

51

prytaneion na seantuaithe. Cosúil le Bruíon na hÉireann, bialann phoiblí ba ea é do dhaoine móra na tuaithe, do thimirí stáit agus do dhaoine eile **(JRSAI, 1869, 326-327)**.

Ba é an tinteán croí an teaghlaigh agus sa mhodh céanna ba é an prytaneion croí na tuaithe **(Smyth, 1853, 313)**.

An amhlaidh gur Bruíon agus buíon bhan i gceannas uirthi a bhí i gCill Dara roimh ré na Críostaíochta agus gur fhan an traidisiún i bhfeidhm in aimsir Bhríde? Deir O'Beirne Crowe gur ait an scéal é gur imigh na Bruíonta as radharc le teacht na Críostaíochta agus ceapann seisean gurbh é an fáth a bhí leisean ná a ndlúthbhaint le gnásanna reiligiúnda na págántachta **(JRSAI, 1869, 325)**.

B'fhéidir gur thóg an mhainistir áit na bruíne le teacht na Críostaíochta go hÉirinn.

Is féidir roinnt tréithe a ghabhann leis an mBruíon phágánta agus le Clochar Críostaí Chill Dara a liostáil:

An Bhruíon	Cill Dara
1 Lárionad féile	Lárionad féile
2 Fearann fairsing	Fearann fairsing
3 Suíomh insroichte	Suíomh insroichte
4 Nasc le tuath	Nasc le tuath
5 Brughaidh agus foireann	Ceannaire agus foireann
6 Tine bhithbheo	Tine bhithbheo

Má tharla go lastaí tinte na ndaoine ó thine na Cásca i gCill Dara, chiallódh sé sin go mbeadh Cill Dara ina 'Omphalos' nó ina imleacán inar tugadh le chéile míreanna scaipthe an domhain chun aontas bunúsach na cruinne a chur in iúl.

CAIBIDIL A hOCHT

PÁIRT NA GRÉINE
SA REILIGIÚN

Cé go bhfuil mórán tagairtí sa litríocht do chultas na gréine agus don rian a d'fhág sí ar naoimh áirithe, Bríd ina measc, ní hé sin le rá gur adhradh glan eisiach na gréine a bhíodh ar siúl ag na seanGhaeil.

Sa traidisiún tá baint faoi leith ag Tuatha Dé Danann le torthúlacht na talún. Léirítear cé chomh buan agus a bhí an traidisiún seo sa taighde a rinne Kate Muller-Lisowski ar chultas Dhonn Fírinne i gCo. Luimnigh. Bhíodh turas á dhéanamh go Cnoc Fírinne agus bronntanais – uibheacha, codanna d'ainmhithe marbha agus de choiligh – á leagan i bhféar agus in arbhar. Scaiptí fuil chun teach agus talamh a chosaint um Bhealtaine, um Shamhain agus Oíche 'le Martain **(Béal. 1948, 160)**.

Bhí cumhacht ag Donn ar na barraí:
"Blight on crops, potatoes, was caused by Donn and his 'sluagh' who fought battles for the crops. These battles took place in autumn between the fairies of Cnoc Áine, led by Áine (or Anna Cliach) and

those of Knockfierna, led by Donn Fírinne. The struggle took the form of a cross-country hurling match. The victors carried the best of the potato-crop to their side of the country." **(Béal. 1948, 160)**.

Tá an cuntas nua-aimseartha seo ar aon dul leis an gcás a léirítear sa seanscéal 'De Gabhail in tSída'. Díreach cosúil le Donn agus le hÁine Chliach tá greim docht daingean ag an Daghdha ar thorthúlacht na talún agus dá thairbhe sin caithfidh na daoine daonna umhlú dó.

Tagann an greann chun tosaigh sa chás seo nuair a chuirtear san áireamh go raibh Clanna Míleadh i ndiaidh Chath Tailteann a chur ar Thuatha Dé Danann. Níorbh fhada an mhoill ar an Daghdha, áfach, cosc a chur ar na barraí agus bhí ar na buaiteoirí dul go humhal chuige agus a iarraidh air torthúlacht na ngort a thabhairt ar ais.

Tagann argóint den saghas céanna chun cinn i **LS 3.18.565** i gColáiste na Tríonóide, Baile Átha Cliath, ina ndeirtear go bhfuil Cúige Mumhan níos torthúla ná aon Chúige eile toisc go bhfuil Ana féin – Bandia an tSonais – ina cónaí ann. Is ionann 'ana' agus 'rath' agus sin é go díreach an t-ainm atá ar an mbandia: tá fíor an bhandé léirithe ar an radharcra:
"Muma: mó a hana nás ana cach cóigid, ar is inti noadrad ban-dia int shónusa .i. Ana a hainm sein; ocus is uaithi side is berar dá chíg Anann os Luachair Deda" **(JRSAI, 1869, 317)**.

De réir an scéil 'Tochmarc Treblainne' thógadh uaisle Chlanna Míleadh mic agus iníonacha Thuatha Dé Danann ar altramas ó na síthe ba chóngaraí dóibh i dtreo nach gclaochlóidís ioth ná bleacht ná bláth in Éirinn lena linn **(PRIA, 1879, 169)**.

Léiríonn nósanna traidisiúnta an phobail caidreamh den saghas céanna idir na daoine agus Tuatha Dé Danann – cleachtaí mar leagan trí phráta i leataoibh do na Tuatha Dé am dinnéara **(LS 933; 457)**; geis ar theach a thógáil ar shlí nó cosán Aos Sí, doirteadh bhraon bainne ar an talamh ag crú na mbó **(LS 922; 470)** agus mar sin de, gan trácht ar na nósanna a bhaineann le Bealtaine agus le Samhain.

Sa Táin, achainíonn Cú Chulainn ar na dúile – an spéir, an talamh agus ar an abhainn áitiúil 'Crón' cabhair a thabhairt dó in aghaidh a naimhde.

Leis sin, éiríonn an abhainn ina tuile chomh hard le crann.

Sa scéal *'Comthoth Lóegairi'* i Leabhar na hUidhre, tagann Laoghaire Rí chuig na Laighnigh chun an Bhóramha a bhailiú uathu ach cloíodh é i gCath Átha Dara. Mhionnaigh sé dar na dúile – grian agus éasca, uisce agus aer, lá agus oíche, muir agus tír – nach dtiocfadh sé arís. Lig na Laighnigh saor é ach d'fhill sé an bhliain dar gcionn agus chuir na dúile chun báis é.

Cé go bhfuil an-tábhacht ag baint leis an ngrian, ag an am céanna níl inti ach ceann amháin de na dúile. Baineann an t-aer, an talamh agus an t-uisce leis na barraí chomh maith leis an ngrian agus gníomhaíonn an torthúlacht taobh istigh de chóras casta ina bhfuil na dúile éagsúla ag obair as láimh a chéile. Is cosúil gur coibhneas nó comhréir den tsaghas sin a bhí ag teastáil ó Thuatha Dé Danann nuair a dhiúltaigh siad do Bhreas i ndiaidh Chath Maighe Tuireadh a bheatha a spáráil de bharr a thairiscint ceithre bharr sa bhliain a thabhairt dóibh. Dúirt Maoiltne Mórbhreathach go raibh Tuatha Dé Danann lántsásta leis an gcóras coitianta – an t-earrach don treabhadh agus don síolchur, an samhradh do neartú an arbhair, an fómhar d'aibiú agus do bhaint an bhairr agus an geimhreadh don ithe **(Gray, 1982, 68)**. Bheadh rath agus brabús thar barr ag baint le fómhar gach ráithe, ach chonacthas dóibh go raibh sé níos tábhachtaí bheith i gcomhréir le hord na cruinne.

Is cosúil gur pearsanú de chumhachtaí an nádúir a bhí i gcuid de na déithe go pointe áirithe. Is féidir gnéithe na mara a aithint i Manannan Mac na Mara Lir agus gabhann ainmneacha na mbandéithe – Bóinn, Eithne, Bríd – le haibhneacha agus ainm an bhandé Éire leis an tír féin.

Is taobh istigh de choimpléasc ollmhór den saghas sin ina bhfuil cúrsaí torthúlachta agus cúrsaí caidrimh idir an chine daonna agus na déithe dúileacha faoi lántseol atá Bríd le suíomh, agus ós rud é go bhfuil cumhacht na gréine chomh mór sin chun tosaigh sa chóras idirfhite seo tugtar aird faoi leith ar an ngné áirithe seo de scéal Bhríde.

Chomh maith le hÁine agus le Grian a bhfuil a n-ainmneacha ceangailte go dlúth leis an ngrian, tá an bandia Ébliu (Éibhle) – a thugann a hainm do Shliabh Éibhlinne – le fáil i gContae Luimnigh **(JRSAI, I, 96)**.

Ina theannta sin, tá Aoibheall na Carraige Léithe le fáil i gContae an Chláir. Ise atá ina hUachtarán ar chúirt na mban i 'gCúirt an Mheánoíche' agus is tromchiallach é gur in aice le Loch Gréine a thit Brian Merriman ina chodladh agus gur go pálás Mhaighe Gréine a stiúraigh an spéirbhean é go dti suíomh na Cúirte **(Ó hUaithne, 1968, 9)**.

Sa tslí seo, marcáiltear an nasc idir Grian agus Aoibheall. Tugtar chun cuimhne chomh maith, an nasc idir Grian agus Áine a d'aithin Aogán Ó Rathaille: "do ghuil Áine i n-Árus Gréine." **(ITS, III, 2nd ed., 224)**.

Baineann an dá ainm – Éibhle agus Aoibheall – le haibhleog agus tagann an idé de theas, de thine agus den ghrian chun tosaigh arís.

Beidh trácht againn níos déanaí ar úsáid na coinnle a bheannaítear Lá 'le Muire na gCoinneal (2 Feabhra) i gcúrsaí dídine agus torthúlachta.

Mar an gcéanna leis an traidisiún a cheanglaíonn Bríd le Lá 'le Muire na gCoinneal ina gcuireann Bríd fáinne de choinnle lasta ar a ceann agus í ag dul isteach sa teampall os comhair na Maighdine Muire **(IFC 903; 26, 28)**.

Cé go bhfuil doiléire ag baint le tús shiúlóid na gcoinneal ba san iarthar sna meánaoiseanna a tháinig forbairt thar barr ar bheannú na gcoinneal sa liotúirge:
"... there is the increasing preoccupation with the blessing of the candles to the point of blessing the source of light, before the candles in some places." **(Stevenson, 1988, 340)**.

Bhíodh tine nua á hadhaint in áiteanna éagsúla, fiú amháin, chun na coinnle a lasadh cosúil le nós na Cásca agus bhí an cleachtas sin le fáil i Leabhar Aifrinn de Ghnás Braga, sa Phortaingéil, san aois seo.

Bhí an cás mar an gcéanna in Eaglaisí Narbonne.

In áiteanna in Albain bhíodh tine chnámh ar siúl ag na daoine óga Lá 'le Muire na gCoinneal. 'Candlemas Bleeze' an t-ainm a bhi uirthi **(McNeill, 1959, 34)**.

I ndúichí áirithe in Éirinn, bhíodh nós na haithinne dóite le fáil, 'sé sin, mharcáiltí duine le Bior Múchta Lá 'le Bríde **(IFC 900; 99)**. Thógtaí an bior as gnáththine an teaghlaigh ach tá an-chosúlacht idir é seo agus caitheamh craobhacha lasta ó thine chnámh mheánsamhraidh isteach sna páirceanna. Beidh a thuiileadh le rá againn faoin nós seo níos déanaí ach tá a chuma air go bhfuil tine an tí ag tógáil áit an tine chnámh sa chás faoi leith seo. Baineann E.O. James brí ghnásúil as tine theaghlaigh na hAlban, Oíche 'le Bríde, chomh maith:

"In Scotland, for example, the sacred fire of St. Bride, or Bridget, was carefully guarded and on the Eve of Candlemas a bed made of corn and hay was surrounded with candles as a fertility rite, the fire symbolizing the victorious emergence of the sun from the darkness of winter." **(1961, 233)**.

I ndeireadh na dála, dealraíonn sé go bhfuil Féile Bríde suite taobh istigh de choimpléasc casta a bhaineamn le tine agus le solas, le torthúlacht agus le dídean agus le bua ghrian an earraigh ar dhorchadas an gheimhridh.

Caibidil a Naoi

AN BHRÍDEOG

Ceann de na rudaí is suntasaí i gcultas Bhríde gan aon amhras is ea an Bhrídeog. Is é an rud atá sa Bhrídeog ná siúlóid ó theach go teach, de ghnáth le dealbh de Bhríd. Téann dream daoine, fir nó mná, nó daoine óga, timpeall an cheantair an oíche dheireanach de Mhí Eanáir. Bíonn gléasanna ceoil á seinm acu go minic agus iad ag siúl an bhóthair.

Bíonn dealbh mhór déanta de thuí agus creatlach adhmaid á hiompar acu de ghnáth. Is í sin 'An Bhrídeog' nó íomhá de Naomh Bríd ach tugtar an t-ainm 'An Bhrídeog' ar lucht na siúlóide chomh maith.

Nuair a shroicheann foireann na Brídeoige an teach téann siad isteach agus cuireann an duine a iompraíonn an dealbh an bhrídeog ina seasamh i gcúinne an tseomra.

Déanann lucht na Brídeoige babhta rince ansin agus bailíonn siad airgead. Ansin imíonn siad leo agus an dealbh á hiompar acu go dtí an chéad teach eile.

Is é seo Gnás na Brídeoige go bunúsach. Feicfimid ar ball, áfach, go raibh cuid mhaith éagsúlachta ag baint leis agus go raibh difríochtaí beaga le tabhairt faoi deara ann de réir nós na háite.

Chun léargas cuimsitheach a fháil ar an ábhar tosnaímis le cuntas an-bhunúsach ó Cho. Phort Láirge.

"Long ago, a group of girls from the district used to get some long article, generally a broom. They used to dress it up in the form of St. Brigid and go around from house to house collecting money. The head was made of a little round bag stuffed with straw and rags and had eyes, nose, mouth and ears painted on it. The arms were made from two old stockings stuffed likewise and tied on the handle of the broom. All this was covered with a long white frock and a cloak which was made from a shawl".

(IFC 900; 209-210; Na cailíní scoile, Cruach agus Cill Aodha, Contae Phort Láirge, a scríobh)

Léiríonn an cuntas seo ó oirthear an Chontae nach bhfuil an gnás in úsáid a thuilleadh ach mar sin féin cuireann sé na míreanna éagsúla a bhain leis an mBrideog in iúl go slachtmhar – an dealbh féin agus conas mar a dhéantaí í, deir sé gur chailíní iad lucht na Brídeoige agus go mbídís ag gabháil ó theach go teach ag bailiú airgid.

I bparóiste Bhaile Bhoirne, in Iarthar Chorcaí, leanaí a bhíodh ag gabáil timpeall leis an mBrídeog chomh maith:

"Tráthnóna oíche 'le Bríde, d'imíodh aos óga ó thigh go tigh le Brídeog socair suas acu i bhfuirm bábáin. Bhídís ag brath ar airgead d'fháil díreach fé mar a bhíodh lucht dreoilín lá 'le Stíofáin."

IFC 900; 87; Amhlaoibh Ó Loingsigh, (69) Cúil Aodha, Maigh Chromtha, Contae Chorcaí, a d'aithris; Cáit Bean Uí Liatháin, Cúil Aodha, a scríobh)

Ó Chill Orglan, dúiche Aonach an Phoic um Lúnasa, tagann cuntas a thugann sonraí an ghnáis dúinn. Cabhraíonn sonraí mar sin le pictiúr cuimsitheach den ghnás ina iomláine a chruthú:

"A figure was carried in procession from house to house, boys and girls dressed up and wore masks. The men usually wore women's clothes and tall hats made of straw. They carried a horn which they

blew on approaching every house. They danced in every house and before they left, the woman of the house stuck a pin in the Brtdeog and left it there. The brideog was made from a churn-staff and the body stuffed with straw. People who were not 'dressed up' usually followed the Biddy. It was customary to 'break up' at the house where the Biddy was made and to dance the remainder of the night. There were no songs and no hymns used on the occasion. There is no local explanation of the origin of the custom."

(IFC 899; 26-28; E. Foley, Cill Orglan, Co. Chiarraí, a scíobh)

Tá cuntas breá ar nós na Brídeoige agus conas mar a chuireadh muintir an tí fáilte roimpi, le fáil i nDún Caoin:

"Lá 'le Bríde, téitear amach sa Bhrídeog fós anseo timpeall. Fadó is iad na cailíní óga suas go ceithre bliana déag nó mar sin a ghabhadh timpeall leis an mBrídeog ach anois téann garsúin bheaga chomh maith leis na gearrchailí beaga amach … Nuair a thagadh an lá ghabhadh na cailíní beaga timpeall léi. D'iompraídís í ina mbaclainn go hoscailte go dtagaidís go béal an dorais. Stadaidís ansan agus chuireadh muintir an tí fáilte roimh 'Bríd' nó 'Naomh Bríde'. 'Móire is daichead ar maidin duit, Is a Chríostaí Óig tá an bhliain seo caite, is tánn tú tagaithe arís nár dtreo' (bean a' tí a chuir fáilte roimh Bhrídeog), nó 'Dé bheathasa, a Bhríd'. Sin é a ndeirtí agus ansan thógadh bean an tí ina baclainn an bhrídeog agus phógadh sí í. Uibhe cearc, ceann nó dó ní trí a gheobhadh Iucht na brídeoige ins gach tigh. Ni chuirfií amach 'Bríd' gan rud éigin.

(IFC 899; 153-155; Muiris Ó Dálaigh, Baile Bhiocáire, Dún Caoin, Contae Chiarraí, a scríobh)

Tagann scéal suntasach ó Chathair na Mart a léiríonn conas mar a tháinig deireadh le gnás na Brídeoige i gceantar amháin faoi leith trí thionchar ardnósach bhean na cathrach

"Strange as it may seem, I never heard much about St. Brigid in the Parish. I know this, however, that when we first came to live there 1889, that the Brideog was still carried around by the little girls on the eve of the Feast Day, but alas, my mother was a townie intolerant of the 'superstitious' practices of the country people and I know that the little girls that came round with the Brideog to Fallduff Lodge did not get a cordial welcome but rather a lecture on

the insult to the Saint by carrying around a thing like that in honour of the Saint. I was too young to quite agree with my mother's attitude, though I did not venture to express such an opinion. I had a sympathy with the novelty of the whole thing which I did not come into contact (with) before and was disappointed when our visitors were not welcomed instead of having their feelings hurt. I wonder if that was one of the first reactions against the town mind that I felt.

The sad part of the whole thing was that my mother's lecture damned the old custom ever after, in that part of the Parish anyhow, and I never heard of the little girls carrying around the Brtdeog after that"

(IFC 903; 82-83; John O'Dowd, "The Laurels", Westport, a scríobh)

Tá cuntas an-bhreá againn ó Ghort, roinnt mhílte ar an taobh thuaidh de Chaisleán an Bharraigh a léiríonn leagan eile den nós agus beirt chailíní mar lucht na Brideoige:

"On the vigil of St. Brigid's Day, a quaint custom is observed in this district. Two girls who call themselves 'brideogs' dress themselves in old ragged clothes, and carrying a blackthorn stick in their hands, they go from house to house. When they come to the door they knock and say 'Brigid is coming'. The door is then opened to them and they are invited in. They walk into the kitchen carrying a doll and a big 'brideog cross'. If anybody attempts to tear the false face off, they strike them with the blackthorn stick. One of them sits on a chair and plays a flute or a fiddle while her companion dances a reel or a jig. When the dance is finished, the bean a' tí gives them money and they say 'If ever you be short Brigid will give you some'. They are then given a drink of milk and after partaking of it they say 'May none of your cows die during the year'.

(IFC 903; 133-134; Bríd Bean Uí Rablaigh, Gort, Caisleán an Bharraigh, a d'aithris; Máiréad Bean Uí Riagáin, O.S., Scoil Ghrianáin, Caisleán an Bharraigh, Contae Mhaigh Eo, a scríobh)

Taobh amuigh den ghreann a bhaineann leis na cailíní agus an maide draighin tabharfar faoi deara an stíl ghnásúil fuinniúil a bhaineann leis an leagan seo den nós le haghaidheanna fidil, dealbh, ceol agus rince. Is suntasach é go bhfuil foirmle ghnásúil ann mar fhreagra do gach deontas agus é ar aon dul le nádúr an deontais féin. Feictear Bríd mar bhronntóir airgid orthu siúd atá i gcruachás agus eascrann an smaoineamh, i dtús báire, ón deontas airgid a thugann bean a' tí don bhrídeog. Mar an gcéanna leis an mbainne. Nuair a chuirtear an dá fhoirmle le chéile is léir go bhfuil lucht na Brídeoige ag cur rath na bliana ar an teaghlach.

Cuirtear in iúl ar an gcéad dul síos go bhfuil Bríd ag teacht agus dealraíoinn sé go bhfuil an dealbh ina fíor den Bhríd dhofheicthe. Tugann stíl chianach an leagain seo leid áirithe go bhfuilimid cóngarach do bhunús ársa an nóis.

I ndúiche Chill Chorbáin gar do Phort Omna, lá saoire a bhíodh ann Lá 'le Bríde agus bhíodh Aifreann le seanmóin ar Naomh Bríd ann ar maidin. Ba ar an lá féin agus ní ar an tráthnóna roimh ré a bhíodh an Bhrídeog ar siúl:

"Tar éis an Aifrinn téann na buachaillí fásta mórthimpeall ag bailiú airgid. Bíonn siad deisithe in éadaí bána agus tugtar Brídeoga ortha. Ní bhíonn aon Bhrídeog á hiompar acu ná ní chanann siad amhráin ar bith. Ní fios cad a dhéantar leis an airgead a bhailítear. 'Diabhaltacha' a thugadh na Plandathóirí ar na Brídeoga"
(IFC 902; 215; Lorcán Ó Cillín, Cill Chorbáin, Port Omna, a d'aithris, Seosamh Ó Dúnaí, An Cillín, Port Omna, Contae na Gaillimhe, a scríobh)

An Bhrídeog i gContae Dhún na nGall

De ghnáth ní áirítear Tír Chonaill i measc na gContaetha ina mbíodh an Bhrídeog ar siúl. Tá raidhse cuntas le fáil ann ar Ghnás na Tairsí agus is fíor go mbaineann an nós sin leis an gContae ach go háirithe. Dá ainneoin sin, áfach, tá cuntas amháin ar fáil ó cheantar Ros Goill i dtuaisceart an chontae a thugann le fios go mbíodh an Bhrídeog ar siúl sa taobh sin tíre tráth dá raibh agus go raibh cuma atá thar a bheith suntasach uirthi.

Tugann an t-aithriseoir tuarascáil ar Ghnás na Tairsí ar dtús agus ansin labhraíonn sé ar nós na Brídeoige:

"Roimhe seo, théadh daoine ó theach go teach leis an Bhrídeog. Ba é an sort ruda a bhí ins an Bhrídeog ná samhailt de éadach a bheadh cosúil le Naomh Bríd, agus chuirtí clóca gorm uirthi i gcuimhne an chlóca ghoirm a bhíodh ar Naomh Bríde nuair a bhí sí beo. Ba ins an teach a bheadh ag ceann na comharsanachta a dhéantaí an Bhrídeog. Nuair a bhíodh sí déanta théadh cúpla duine den líon tí sin go dtí an chéad teach eile. Nuair a thagadh siad go leac an dorais scairteadh siad amach in ard a gceann trí huaire: 'Gabhaigí ar bhur nglúine, osclaigí bhur súile agus ligigí isteach Bríd Bheannaithe,' agus thugtaí mar fhreagra istigh orthu; 'Sé beatha, 'Sé beatha, na mná uaisle.' Théadh cúpla duine as an líon tí sin go dtí an chéad teach eile agus mar sin de a rachadh siad. Cúpla duine as líon tí amháin ag gabháil go dtí an chéad teach eile nó go mbeidís ag ceann na comharsanachta. Ba é an fáth a bhí leis an Bhrídeog ná deirtear go samhluigheann (sábhálann) Naomh Bríd gach teach a bheirtear an Bhrídeog go dtí é, ó gach contúirt i rith na bliana agus go gcuireann sí an droch-uair thar an líon tí gan chaill ar feadh na bliana fosta de réir bharúil na seandaoine."

(IFC 904; 188-190; Seán Ó Siadhail, Cnoc Dúmaigh, a d'aithris; Tomás Mac Fhionghaile, Carraig Airt, Leifear, Contae Dhún na nGall, a scríobh)

Cuireann an cuntas seo córas nua ar fad romhainn mar in ionad dream amháin a bheith ag gabháil timpeall ó theach go teach sa cheantar ar fad, mar is gnáth, is amhlaidh a théann beirt ó theach amháin go dtí an chéad teach eile. Is cosúil gur mar seo a leanas a ghníomhaíodh an gnás sa chás faoi leith seo agus b'fhéidir ar dtús go raibh an córas seo in úsáid go forleathan.

Cuir i gcás go bhfuil cúig theach sa dúiche – A, B, C, D, agus E. Tá teach A ar cheann na comharsanachta – an teach is mó nó is cóngaraí don bhóthar mór nó rud éigin mar sin a thugann stádas faoi leith dó. Déantar an Bhrídeog sa teach seo agus téann beirt nó cúpla duine ón líon tí sin léi go dtí an teach is cóngaraí dóibh agus an dealbh á hiompar acu. Ní luaitear bréagriocht in aon chor agus is cosúil go raibh a ngnáthéadaí ar an mbeirt, gan aghaidh fidil ná aon rud mar sin. Ní bheadh an bheirt seo ag dul ach go dtí an t-aon teach amháin agus is dócha narbh fhiú é iad féin a ghléasadh go hornáideach.

Nuair a shroicheann an bheirt ó theach A teach B, déanann siad an rann 'Gabhaigí ar bhur nglúine' etc., a reacaireacht faoi thrí taobh amuigh den doras, díreach faoi mar a dhéantar i nGnás na Tairsí leis an rann céanna. Cuireann muintir an tí fáilte rompu agus téann siad isteach leis an mBrídeog.

Ní deirtear go raibh ceol ná rince ná bailiúchán sna tithe agus sa tslí sin bhi sé an-difriúil leis an ngnáthnós. Is trua é nach dtugann an t-aithriseoir breis sonraí ach mar sin féin tá an córas soiléir go leor.

Ansin, tugann an bheirt ó theach A an dealbh do bheirt den líon tí B, agus téann siad abhaile go teach A gan an Bhrídeog. Imíonn an bheirt ó theach B leis an mBrídeog go dtí teach C; deirtear an rann, téann siad isteach i dteach C, tugann siad an dealbh do bheirt ansiúd agus filleann siad abhaile go dtí teach B, fad a bhíonn an bheirt ó theach C ag dul go dtí teach D. Tugann siad an Bhrídeog do bheirt sa teach sin agus filleann siad san abhaile. Téann an bheirt ó theach D ar aghaidh leis an mBrídeog go dtí teach E agus tar éis an gnás a ghníomhú tugann siad an dealbh do bheirt sa teach agus imíonn siad abhaile go teach D. Téann an bheirt ó theach E ar aghaidh leis an mBrídeog go dti teach A – an lárionad. Is cosúil go ngíomhaíonn siad an gnás anseo chomh maith, mar cé gur deineadh an Bhrídeog (dealbh) ann ní hé sin le rá gur ghníomhaíodh an gnás ann. Fágann an bheirt an Bhrídeog anseo i dteach A – san áit inar thosaigh an turas agus téann siad abhaile go dtí teach E. Sa tslí sin clúdaítear an dúiche ar fad agus ní bhíonn ag lucht na Brídeoige ach turas an-ghairid a dhéanamh – óna dteach féin go dtí an chéad teach eile.

An Bhrídeog i gContae Chill Mhantáin

Tagann cuntas an-bhreá ar an mBrídeog anuas chugainn ó Cho. Chill Mhantáin – an t-aon chur síos amháin atá againn ón gcontae sin. Benedict Tutty a thug an cuntas in Eanáir na bliana 1993, agus é ag féachaint siar ar laethanta a óige i sráidbhaile Chillín Chaoimhín (Hollywood). Mar a léiríonn an t-ainm tá dlúthbhaint ag an áit sin le Naomh Caoimhín Ghleann dá Loch agus síltear go ngabhadh na hoilithrigh an tslí sin agus iad ag déanamh ar an mainistir, tráth dá raibh. Is ann, chomh maith, a fuarthas an 'Hollywood Stone' leis an gcathair ghríobháin greanta uirthi. B'fhéidir go raibh baint éigin aici le tús an turais mar shiombail de bhóthar casta an oilithrigh go Cathair Dé. Coimeádtar an chloch san Iarsmalann Náisiúnta i mBaile Átha Cliath anois **(Killanin & Duignan, 1967, 307)**.

De réir na tuairisce seo níor bhain lucht na Brídeoige le Cillín Chaoimhín féin ach le dúiche eile – Cryhelp – cúig mhíle nó mar sin i gcéin, ach tháinig siad go dtí an sráidbhaile leis an mBrídeog agus chríochnaigh siad an séasúr i dteach tábhairne athair an aithriseora, oíche éigin thart ar an triú seachtain d'Fheabhra – go déanach sa mhí ar aon chuma. Thosaigh an Bhrídeog i Cryhelp sa ghnáth-am –31 Eanáir, agus níl an t-aithriseoir cinnte gur thóg sé an oiread sin ama chun cuairt a thabhairt ar thithe go léir an cheantair nó ar thóg lucht na Brídeoige sos ar feadh cúpla oíche idir an dá linn. Ar aon chuma, shiúil siad isteach i sráidbhaile Chillín Chaoimhín timpeall a seacht a chlog sa tráthnóna ag deireadh na míosa agus thug siad cuairt ar gach teach.

Baineann an tuairisc leis na blianta 1935-1948, agus tamall ina dhiaidh sin d'imigh an Bhrídeog leis.

Bhíodh 15-20 sa ghrúpa. Fir amháin a bhíodh ann, daoine pósta agus neamhphósta araon. Bhí ionadaíocht mhór ag muintir Uí Chearnaigh agus muintir Uí Cheallaigh sa Bhrídeog, cúpla duine ó na clanna sin ann uaireanta agus bhí duine de na clanna sin ina cheannaire orthu ar feadh na mblianta. Bhí stádas faoi leith ag an gceannaire agus nuair a thug seisean an comhartha do lucht Brídeoige an gnás a thosú nó imeacht nó pé rud eile, deineadh rud air láithreach bonn. Culaith tuí a bhíodh air siúd amháin agus aghaidh fidil. Bhíodh aghaidheanna fidil ar gach duine agus iad gléasta i gcibé rud a bhíodh le fáil gan dua. Ach níor chaith lucht na Brídeoige éadaí ban.

Téann an ghrian faoi timpeall leathuair tar éis a cúig ag deireadh mhí Feabhra agus is cuimhin leis an aithriseoir an Bhrídeog ag druidim isteach sa sráidbhaile sa dorchadas agus an dealbh bhán ar cheann na buíne. Bhí uamhan agus alltacht éigin ag baint leis an radharc.

Deineadh an Bhrídeog as loine, an barr cruinn mar cheann agus caille timpeall air agus gúna fada bán. Ag gabháil timpeall dóibh bhíodh an dealbh i dtosach i gcónaí agus nuair a bhíodh an rince gnásúil ar siúl sa teach, choimeádadh an duine a bhíodh á hiompar an Bhrídeog ina seasamh. Ní dhéanadh sé féin rince in aon chor. I rith an tsiamsa a lean gnás na Brídeoige sa teach tábhairne, áfach, chuireadh sé an dealbh ina seasamh sa chúinne agus ansin bhíodh fear iompar na Brídeoige in ann rince agus foirmiúlacht an ghnáis féin a dhéanamh.

Tar éis cuairt a thabhairt ar thithe uile an tsráidbhaile thagadh an Bhrídeog isteach i dteach Tutty. Ba é seo an teach deireanach don séasúr ar fad agus i ndiaidh an gnás a ghníomhú bhíodh cóisir bheag nó saghas 'Biddy Ball' ar siúl sa teach tábhairne chun críoch a chur leis an mBrídeog don bhliain sin.

Ní bhíodh aon rann acu ach rince – seiteanna – agus mileoidean nó cúpla ceann acu i gcomhair an cheoil. Bhíodh ceol ar siúl acu ag teacht isteach sa tsráidbhaile dóibh, chomh maith. Ní bhíodh aon chaint nó bladar ar siúl roimh an ngnás agus bhíodh atmasféar rúnda ag baint leis an ngníomhaíocht ar fad. Cheap an t-aithriseoir agus é ag féachaint siar thar na blianta go raibh lucht na Brídeoige féin gafa leis an ngnás agus fad a bhíodh sé ar siúl gur bhain siad le domhan nó buntomhas eile.

Ní bhíodh aon bhailiúchán ann agus ceapann sé nach mbíodh bailiúchán ar siúl i dtithe eile Chillín Chaoimhín ach oiread. Ach b'fhéidir go mbíodh bailiúcháin ar siúl ag lucht na Brídeoige ina ndúiche féin ag tús an tséasúir. Dhéanadh fear amháin sa cheantar crosanna Bhríde, ach ní raibh aon bhaint acu leis an mBrídeog féin.

Agus an gnás thart, thosaíodh an siamsa i seomra eile. Bhíodh deochanna saor in aisce le fáil ag lucht na Brídeoige agus d'imíodh cuid den fhoirmhiúlacht a bhain leis an ngnás féin, ach ní go hiomlán. Bhaineadh cuid díobh cuid den bhréagriocht díobh fad a bhídís ag ól agus ag amhránaíocht agus ag rince le cailíní na háite, ach leanadh cuid den fhoirmhiúlacht ar aghaidh an t-am ar fad. Maidir leis an gceannaire, ní bhaineadh sé aon chuid dá bhréagriocht de riamh. Cé go raibh an bhréagriocht an-simplí bhí sé éifeachtach agus ní aithníodh muintir an tí lucht na Brídeoige de ghnáth go dtí go raibh an gnás thart.

Tar éis tamaill thugadh an ceannaire an comhartha – labhraíodh sé go ciúin le duine amháin go raibh sé in am dóibh beith ag imeacht. D'imíodh an focal thart agus lom láithreach d'éiríodh lucht na Brídeoige, ghabhadh fear an tí buíochas leo agus shiúladh siad an doras amach. Bhí an Bhrídeog thart go dtí an chéad bhliain eile.

Sa chuntas iontach seo ó Chillín Chaoimhín i gContae Chill Mhantáin, leag an t-aithriseoir an-bhéim ar an atmasféar rúndiamhrach a bhain leis an ngnás agus nár ligeadh i leataobh go hiomlán fiú amháin le linn an tsiamsa ina dhiaidh. Ní bheadh, dar leis, lucht na Brídeoige féin in ann meon faoi leith an ghnáis a chur in iúl trí bheith ag caint faoi nó trí scagadh teoiriciúil a dhéanamh air, ach bhí meon na rúndiamhaire le mothú go héifeachtach le linn an gnás a bheith ar siúl. Chomh maith leis sin, bhí sé cinnte gur mharcáil teacht agus imeacht na Brídeoige spriocphointe sa bhliain.

Leag sé béim freisin ar ord agus eagar lucht na Brídeoige agus conas mar a bhí smacht iomlán ag an gceannaire orthu. Tríd is tríd d'imigh an gnás go mór i bhfeidhm air mar rud rúnda reiligiúnda a bhí ag feidhmiú taobh amuigh de gnáthchóras an tsaoil.

(Benedict Tutty, Gleann na Staile, An Mhaigh Rua, Contae Luimnigh, a d'aithris; Seán Ó Duinn, Gleann na Staile, An Mhaigh Rua, Contae Luimnigh, a scríobh)

CAIBIDIL A DEICH

GNÁS NA TAIRSÍ

Cé go mbíodh an-tóir ar Ghnás na Brídeoige i ndeisceart na tíre, mar a chonaiceamar, bhíodh Gnás na Tairsí go mór chun tosaigh in áiteanna áirithe sa tuaisceart. Léireoidh na cuntais éagsúla an cás, ag tosú le cur síos ar an gcleachtas ó Thír Chonaill.

Gnás na Tairsí i dTír Chonaill

Tagann cuntas soiléir cuimsitheach ar Ghnás na Tairsí ó cheantar Ros Goill – an áit chéanna as a dtáinig an tuarascáil shuntasach ar nós na Brídeoige agus ó bhéalaithris an duine céanna – Seán Ó Siadhail. I dtús báire féachann sé siar ar chúrsaí faoi mar a bhídís tamall roimhe sin:

"Le tamall anuas tá an sean-nós a bhíodh aca ag comóradh an Fhéile Bríde ag gabháil i bhfuaradh ach b'fhéidir le cúnamh an Rí go néireodh sé beo arís níos láidre 'gus níos bláthmhaire ná mar a bhí sé riamh. Níl acu anois ach nós ag déanamh crosanna agus brúitín oíche Fhéile Bríde, ach seal tamaill ó shin nach acu a bhíodh na sean-nósanna breátha. Seo an dóigh a chomórtaí an Fhéile Bríde seal tamaill ó shin.

Le clapsholas go díreach ní bheadh le feiceáil ag leac dorais achan (gach) tí ach ualach feaga. Nuair a thagadh an oíche dhéanfaí réidh pota breá brúitín (prátaí beirithe brúite) agus go díreach sula mbrúití iad théadh fear an tí amach go leac an dorais agus de ghuth ard scairteodh sé amach:
'Gabhaigí ar bhúr nglúine,
Osclaigí bhúr súile
Agus ligigí isteach Bríd Bheannaithe.'

Déarfadh an líon tí ag tabhairt freagra air:
'Sé Beatha, 'Sé Beatha, na mná uaisle.'

Deireadh siad an rann céanna athuair agus thugtaí an freagra céanna orthu. I ndiaidh é a rá an triú uair agus an líon tí freagra a thabhairt air, bheireadh sé isteach na feaga (feagacha) agus chuireadh sé faoi phota an bhrúitín (prátaí) iad nó go mbíodh siad brúite. Ansin, d'itheadh siad a suipéar. I ndiaidh am suipéara a thosódh an sport agus an siamsa sa dóigh cheart. Shuíodh an líon tí síos siar, ar fud an tí ag déanamh crosanna. Bhíodh na seandaoine i gclúdaigh chomh gnóthach le cách ag déanamh crosanna ach san am céanna bhíodh siad ag scéalaíocht nó ag tairngreacht nó ag fiannaíocht. Lá 'le Bríde choisrictí na crosanna a dhéantaí an oíche roimh ré agus chrochtaí suas iad."
(IFC 904; 187-188; Seán Ó Siadhail, Cnoc Dumhaigh, a d'aithris; Tomás mac Fhionghaile, Carraig Airt, Leifear, Contae Dhún na nGall, a scríobh)

I gcuntas eile ó Chontae Dhún na nGall cuirtear in iúl arís go gcuirtí an beart luachra faoin gcorcán brúitín agus tugtar an sonra suimiúil gur chuir bean an tí caille ar a ceann chun fáilte a chur roimh Bhríd **(IFC 904; 199-201)**.

Léiritear anseo an dlúthcheangal a bhí idir an bia agus an beart luachra agus tiocfaidh an feiniméan seo chun tosaigh arís agus arís eile. Glactar leis sa dá chuntas go raibh an beart luachra ullmhaithe roimh ré agus curtha i leataobh taobh amuigh den teach. Ní bheadh le déanamh ansin ag an duine a dhéanfadh an beart a iompar ach é a bhailiú agus dul ar aghaidh leis an rann ag an tairseach.

I gcuntas ó dhúiche Chill Mhic Réanáin, Contae Dhún na nGall, cuirtear in iúl cuid de na rialacha a bhain le Gnás na Tairsí:

"Crosses are made on the Eve of the Feast. They are made from green rushes, and the rule is that you must have them cut and left on the doorstep before the sun sets." **(IFC 904; 179)**.

Tarlaíonn dul faoi na gréine timpeall. 4.30 an lá sin. Luaitear riail thábhachtach eile sa chuntas céanna:

"It was an old custom to make 'poundies' (mashed potatoes) on the Eve of the Feast, and the rushes had always to be brought in before the 'poundies' were eaten" **(IFC 904; 180)**.

Taispeánann an riail seo an nasc idir an luachair agus an suipéar.

Sa chuntas ó Chontae Longfoirt léiritear an nasc idir an luachair agus an béile:

"It used to be kept in the following way: On the evening of the Eve the man of the house cut some rushes which he hid in an outhouse. When the great supper given on the Eve was ready, he brought the rushes into the house. Immediately all in the home fell on their knees while he recited some prayer in Irish. He remained standing for the prayer; the rushes were put under the table where they remained until the tea was over. Then they were put in the middle of the floor and the people of the house gathered round and began making St. Brigid's Crosses."
(IFC 906; 181-182; Thomas Gill, Bóthar Mór, Contae Longfoirt, a d'aithris; Lughaidh Ó Maolamhlaidh (?), Ard Achadh, Meathas Troim, Contae Longfoirt, a scríobh)

"In some districts, the making of the crosses preceded the Brigid's Supper or Tea, and the plate or plates containing the pancakes rested upon the table on a cross or crosses. It was more usual, however, to make the crosses following the meal."
(IFC 905; 39-40; 41; T.S.F. Paterson, Armagh, a scríobh)

I ndúichí áirithe, de réir an scríbhneora, tháinig déanamh na croise roimh an suipéar agus sa chás seo baineadh úsáid as an gcros mar phláta faoin mbia. Chonaiceamar samplaí den fheiniméan seo cheana féin ó Chontae Aontroma.
(IFC 904; 313; 281-282)

Nuair a itheadh an suipéar roimh dhéanamh na gcros is cosúil go raibh an nasc idir an béile agus an luachair caillte – sa chás áirithe seo i gContae Ard Mhacha, ar aon chuma. Ach chonaiceamar cheana féin nár ghá sin a tharlú, mar in áiteanna éagsúla cuireadh ábhar na gcros – an luachair – faoin mbord i rith an bhéile agus mar sin deineadh teagmháil léi **(IFC 904; 245; LS 905; 137-139; 143-144).** I gcásanna eile cuireadh an luachair faoi phota an bhrúitín **(IFC 904; 187-188; 199-201).**

Sa chuntas gairid ó Chollann, tagann rud suntasach, neamhchoitianta chun cinn, 'sé sin le rá timpeallú an tí ag Gnás na Tairsí, ach ní hé seo an t-aon sampla amháin den fheiniméan atá le fáil:

"The rushes are carried around the house outside three times until someone inside says 'Céad fáilte romhat, a Bhríd.' Then the rushes are brought in, placed on the kitchen floor and all lend a hand to make the crosses.

(IFC 906; 26-27; Máréad Bean Uí Dhonnagáin, Woodlawn, Collon, Contae Louth, a scríobh)

Is ó Cho. Loch Garman a thagann ceann de na cuntais is suntasaí ó thaobh gnásúlachta de agus feictear anseo cur síos níos iomláine ar thimpeallú an tí – an rud a bhíodh ar siúl i gCollann, Contae Lú **(IFC 906; 26-27):**

"I have heard from the oldest man in this district, William Graham, who is 86 years (in 1942) of age, and who has stories about the Eve of St. Brigid's Day which were told to him by his father, who died 50 years ago at the age of 93, that on the Eve of St. Brigid's Day, a feast used to he given in the house. After sunset, the man of the house used to cut a bundle of rushes with a reaping hook unawares of the people inside, and hides it outside the house until the time for the feast arrives. He again leaves the house, and walking round it in the direction of the sun, picks up the bundle and completes one circuit. When he reaches the open door, all inside kneel down and listen attentively to his petition:

'Go down on your knees;

Open your eyes;

And let St. Brigid in'

They all answer:
'She is welcome; she is welcome;'

He makes a second circuit, and a third circuit of the house, always with the same petition at the door, and the same answer is given. At the end of the third petition, the man of the house enters, lays the bundle of rushes under the table, says grace, and invites all to partake of the meal. After the feast, the rushes used to be placed in the middle of the room, and all the family used to weave the crosses of St. Brigid. Next day, the crosses used to be blessed and hung up in each room and every outhouse.

(IFC 907; 174-177; Cáit Ní Bholguibhir, Ráth an Iúir, Inis Córthaidh, Contae Loch Garman, a scríobh)

Is é an rud is tábhachtaí sa chuntas breá seo a théann siar go fada, ná an t-iompú deiseal faoi thrí timpeall an tí. Gan amhras is é seo an rud a bhíodh ar siúl i gCollann, Contae Lú **(IFC 906; 26-27)** chomh maith.

Is nós ársa é an tIompú Deiseal atá le feiceáil ag na toibreacha beannaithe, Loch Dearg, Gleann Cholm Cille agus sna háiteanna ina bhfuil na seanghnásanna caomhnaithe go dtí an lá atá inniu ann. Siúlann na daoine i ndiaidh a chéile ina nduine agus ina nduine (agus ní i mbeirteanna de réir nós na hEaglaise) timpeall an tobair nó an ghalláin nó na cille. Coimeádann siad an rud naofa (an tobar, etc.) ar an taobh ó dheas i gcónaí ag gabháil timpeall dóibh, 'sé sin le rá go leanann siad timthriall na gréine. De ghnáth tá sé riachtanach don duine ag déanamh turais an tobair an tIompú Deiseal a dhéanamh.

San ionad áirithe seo, Ráth an Iúir, Contae Loch Garman, tá an tIompú Deiseal le feiceáil go glórmhar. Imíonn fear an tí amach chun an beart luachra a bhailiú. Bailíonn sé an beart ina bhaclainn agus téann sé timpeall an tí de réir chasadh na gréine. Nuair a thagann sé go dtí an doras oscailte den chéad uair tar éis an timpeallú a dhéanamh déanann sé rann na tairsí a aithris:
Go down on your knees;
Open your eyes;
And let St. Brigid in.

Freagraíonn muintir an tí taobh istigh den doras:
She is welcome, she is welcome.

Ní thagann fear an tí isteach, áfach, ach téann' sé timpeall an tí agus an beart luachra á iompar aige den dara huair. Nuair a shroicheann sé an doras déanann sé an rann a aithris den dara huair.

Freagraíonn muintir an tí é, ach arís, ní théann sé isteach. Timpeallaíonn sé an teach den tríú huair agus nuair a shroicheann sé an doras deir sé an rann den tríú huair. Freagraíonn muintir an tí é agus tagann sé isteach an babhta seo.

Tá fianaise ann go raibh turas timpeall an tí mar chuid de Ghnás na Tairsí in áiteanna áirithe ar aon chuma. Is beag amhras atá ann ach gurbh é an tIompú Deiseal – an turas rathúil a bhíodh i gceist. Is cuid thábhachtach de ghnásanna na Hiondúch an tIompú Deiseal nó 'Pradaksina'. Ag leanúint thuras na gréine dóibh, téann na daoine timpeall ar bhile, ar thobar, ar scrín, ar thine, ar theach **(Hastings, 1909, Art. Circumambulation)**. Agus an duine ag gabháil timpeall ag leanúint turas na gréine dó, cuirtear i gcoibhneas é le hord na cruinne.

Deirtear gur choisric Naomh Pádraig ArdEaglais Ard Mhacha leis an Iompú Deiseal. Rinne Naomh Seanán an rud céanna chun a chill a choisreacan. Ba ghnáth le daoine siúl timpeall ar theach, ar pháirc nó ar bhád, deiseal, faoi thrí ar an oíche dheireanach de Mhí na Nollag **(Hastings, 1909, Art. Circumambulation).**

Is cosúil go raibh an tIompú Deiseal faoi thrí mar chuid den ghnás ar dtús ach gur imigh sé i léig, ach fágadh iarsma den sean-nós anseo agus ansiúd agus níos forleithne in agallamh triadach an dorais.

Tá macasamhail den nós feiceálach seo le fáil i Siúlóid Dhomhnach na Pailme i nGnás Brága sa Phortaingéal. Téann an sagart agus a mhinistreálaithe go dtí doras dúnta an tséipéil agus cnagann sé ar an doras le cros na siúlóide agus an rann á chanadh aige:
"Attolite portas, Principes, vostras; et elevamini, portae aeternales, et introibit, Rex Gloriae."

(Ardaigí bhur lindéir, a gheataí, agus tógtar na doirse cianaosta go dtaga Rí na Glóire isteach **(Salm 24)**.

Tá daoine taobh istigh den séipéal agus freagraíonn siadsan:
"Quis est iste Rex Gloriae?"
(Rí na Glóire – cé hé sin?)

Freagraíonn an sagart taobh amuigh den doras:
"Dominus potens in proelio."
(Is é an Tiarna é, an té atá tréan i gcath.)

Tarlaíonn an t-agallamh seo faoi thrí, ansin osclaítear an doras agus téann an sagart agus a lucht leanúna isteach sa séipéal. **(Missale Bracarense; Roma 1924; 152-154).**

Tá an cleachtadh céanna geall leis, le fáil i Leabhar Aifrinn den Ghnás Mozarabach **(Martene, 1706, 212)** agus i gcuid mhaith de na hArdEaglaisí cáiliúla ar an MhórRoinn **(Martene, ibid, 196).**

Níl timpeallú na heaglaise faoi thrí i gceist sna samplaí seo ach i nGnás Thiomnú Eaglaise téann an tEaspag timpeall an tséipéil faoi thrí – tuathal faoi dhó agus ansin deiseal agus ag deireadh gach turais tarlaíonn an t-agallamh agus cnagadh ar an doras dúnta leis an mbachall. Ag an tríú babhta cuirtear na focail *"Aperite, Aperite, Aperite"* (Osclaigí) leis an ngnáthfhoirmle. **(Pontificale Romanum, 1868, 140-142).** Croitheamn an tEaspag uisce coisricthe ar na ballaí ag gabháil timpeall dó agus léiríonn na horthaí go bhfuil sé ag guí Dé an áit a shábháil ó ionsaí an diabhail agus ainspriodanna, agus go mbeadh an séipéal nua ina fhoinse síochána agus aontachta do Phobal Dé.

Cé go bhfuil cosúlachtaí idir Gnás na Tairsí agus gnásanna seo na hEaglaise, ag an am céanna is deacair a rá cé acu an bhfuil ceann amháin ag brath ar an gceann eile nó an bhfuil siad neamhspleách ar a chéile ar fad.

Tagann an tIompú Deiseal chun cinn arís i gcuntas a thugann Domhnall Ua Murchadha i gcomhthéacs Ghnás na Tairsí. Is deacair a rá cén chuid den tír a mbaineann an tuairisc léi ach tá míreanna neamhchoitianta le feiceáil inti:

"Nuair a bhíonn crosa ag daoine dá chur fé sna fraightheachaibh oídhche Fhéile Bríde, níor chead d'éinne focal a labhairt go mbeadh ádhbhar na croise tabharta abhaile; agus tar éis teacht go dtí an tigh, b'é an nós gabháil timpeall an tí trí huaire; agus tar éis an tríomhadh huair timpeall, do saidhtighe na broibh fén ndoras iadhta." **(1939, 96)**

Tá nós thimpeallú an tí faoi thrí caomhnaithe go fíormhaith sa sampla seo agus is cosúil gur iarsma d'agallamh an dorais – ach cuma aisteach a bheith air – atá i sá an ábhair chroise faoin doras dúnta.

Maidir leis an tost a choimeádtaí fad a bhíodh ábhar na croise á bhailiú sa chás seo, tá iarsmaí den nós céanna le haithint i dtuairiscí eile, de réir cosúlachta.

Agus an tuairisceoir ag cur síos ar fhear an tí ag dul amach chun an beart luachra a sholáthar i bParóiste an Chnoic, Contae na Gaillimhe, deir sí:
"I ngan fhios a théadh sé amach." **(IFC 902; 71)**

Tá an feiniméan céanna le haithint i gContae Longfoirt:
"On the evening of the Eve the man of the house cut some rushes which he hid in an outhouse." **(IFC 906; 181)**

Ó Chontae Chiarraí tagann tuairisc níos cruinne fós ar an tost gnásúil a bhain le bailiú na dtráithníní:
"Théimis ar na portaithe á mbaint Oíche 'le Bríde – gan aon fhocal a labhairt lena chéile chun go dtagaimis abhaile leo ach ag paidreoireacht." **(IFC 239; 264)**

Tá an traidisiún céanna le feiceáil arís i dtuairisc ó Chontae Mhaigh Eo:
"... the man of the house goes out without telling anyone and pulls the thraneens for the cross and when the house is quiet sits down and makes it." **(IFC 903; 155)**

B'fhéidir go bhfuil iarsma de chleachtadh an-ársa le haithint sa chiúnas seo agus é ag teacht go díreach ag tús an ghnáis. Tá samplaí eile den chiúnas céanna le fáil i ngnásanna traidisiúnta leighis a bhaineann le galar cromáin agus le leicneach.

Tabharfar faoi deara go mbaineann an tost leis an gcéad chuid den ghnás agus le bailiú an ábhair díreach cosúil le Gnás na Tairsí. Is sa dara cuid a thagann an fhoirmle labhartha:

"Take three green stones, gathered from a running brook, between midnight and morning, while no word is said. In silence it must be done. Then uncover the limb and rub each stone several times closely downwards from the hip to the toe, saying in Irish:
'Wear away, wear away,
There you shall not stay,
Cruel pain – away, away.
(Wilde, 1888, 199).

Tugadh aitheantas don mheon céanna i seanghnásanna na nGréigeach, "Bígí ciúin; bígí ciúin" a deir Didaiopolis chun tús a chur le Dionysia na Tuaithe in 'Acharnians' **(Sommerstein, 1980, 59)** agus baineadh úsáid as an bhfocal 'euphem-ew' chun tost religiúnda a chur in iúl.
(Liddell, Scott, Jones, 1958, 736).

Ag tús an Aifrinn sa seanghnás Gailleach bhíodh sé mar chúram ag an déagánach fógairt ghnásúil a dhéanamh 'Silentium facite.' **(Lietzmann, 1935, 22).**

Is dealraitheach go bhfuil tost naofa Ghnás na Tairsí le suíomh taobh istigh de choimpléasc ársa reiligiúnda de chuid na hEorpa agus an domain chlasaicigh.

Gnás na Tairsí i gContae Mhaigh Eo

Creidim go bhfuil iarsma den Iompú Deiseal i dteannta Ghnás na Tairsí sa chuntas breá cuimsitheach ó pharóiste Kilcommon, Iorras, Contae Mhaigh Eo. Sa ghnás iontach a léirítear sa dúiche seo tá an beart tuí mar dhealbh Bhríde cosúil leis an mBrídeog. Chomh maith leis sin cuirtear an dealbh agus Brat Bhríde i dteannta a chéile mar is cuid d'éadaí na deilbhe an Brat. Mar sin, níl aon ghá le Bríd an dara teacht ar ais ón alltar a dhéanamh san Oíche Naofa mar déanann sí teagmháil leis an mBrat le linn Ghnás na Tairsí a bheith ar siúl:

"Before nightfall, usually the man of the house procured a garment for a 'Brat Bríde'. The article of clothing selected was one which would be in greatest use by the member of the house whose occupation was the most dangerous. As the head of the family was generally a fisherman and exposed to the dangers of the deep for the current year, and the one most in need of the saint's protection, a coat or waist-coat of his was used for the 'Brat'. Frequently the man's muffler – one of the large home-made mufflers which covered nearly the whole head and was worn on night fishing – became the 'Brat'. The man took out this article of clothing into the haggard, drew a good long sheaf of straw out the stack and wrapped the garment around the sheaf in a manner giving it as far as possible the rough outline in appearance of a human body. He then reverently carried the object between his arms, in the manner one carries a child, and deposits it outside the back door. He leaves it there and comes into the house. The preparation for the supper is proceeded with, the fire on the hearth is kept well stoked and burning brightly, and radiating cheer and happiness. Then when supper is laid on the table and the inmates are ready to sit in, the man of the house announces that he is now going out to bring in Brighid, as she too must be present at the festive board. The man goes out and around to the back door, where he kneels, and then in a loud voice says to the people inside who are expectant and waiting for the coming request:

"Téigí ar bhur nglúine agus osclaigí bhur súile agus ligigí isteach Bríd'.

Response: "Sé beatha, sé beatha, sé beatha'.

'Téigí ar bhur nglúine agus osclaigí bhur súile agus ligigí isteach Bríd'.

Response: 'Sé beatha, sé beatha, sé beatha'.

The people within continue repeating the third response 'Sé beatha, ...' On the third response 'Sé beatha', from the people within, he takes up the bundle, gets up off his knees and comes around to the open door, while the people within continue repeating the 'Sé beatha' as he is coming round (to the front door), and when he enters the door they finish the response with 'Muise, 'sé beatha agus a sláinte'.

Then the object (the sheaf of straw and brat) is laid carefully and respectfully leaning against the leg or rail of the table and under the table. The family then sit down to the supper preceded by a short prayer or invocation such as:

'A Bhríd Bheannaithe, go gcuire tú an teach seo thar anachain na bliana'.

(0 Blessed Brigid, may you deliver this house from the troubles of the year)

When supper is finished there was the ejaculatory prayer – the usual one – of:

'Dia graisias le Dia, agus cumhdach Dé ar lucht shaothrú na beatha'.

(Deo gratias to God and the protection of God on those going through life).

Then when the supper vessels are removed and the table cleared, and things put in order, the 'brat' is stowed away in a secure place. In addition to the article or garment used for the 'brat' previously referred to, frequently a piece of new cloth was used to supplement the garment. Strips of this cloth were subsequently used for cures in cases of headache, or as they used to say 'bad heads', such as dizziness, etc. The next operation was the making of St. Brigid's Cross from this particular sheaf of straw. Some people went to great pains in making the cross and I have seen some very large and artistic ones made, and it certainly looked a nice emblem when it was stuck or secured to the ceiling or rather to the scraw (thatch), usually above the kitchen window, in line with the kitchen bed. The cross was supposed to be a safeguard against storm or the blowing away of the roof of the house during the coming twelve months. It was supposed this danger of the winter's storm or its crisis had passed on St. Brigid's Eve when provision was made for protection against the next winter by the exhibiting of Brigid's Cross in the manner described."

(IFC 903; 50-54; Michael Corduff, The Lodge, Ros Dumhach, Ballina, County Mayo, a scríobh)

Tabhair faoi deara go gcuirtear go minic píosa éadaigh in éineacht leis an muifléad ar an dealbh agus go sractar é sin níos déanaí chun Brat Bhríde a dhéanamh i gcomhair bhaill éagsúla an teaghlaigh fad a bhíonn an muifléad mór ag an athair.

Taobh amuigh den fhíric gur dealbh Bhríde atá sa bheart gléasta tuí, leagtar an-bhéim ar láithreacht Bhríde sa ghnás áirithe seo i Ros Dumhach.

Ar an gcéad dul síos, fógraíonn an t-athair do mhuintir an tí go bhfuil sé ag dul amach chun Bríd a thabhairt isteach chun go mbeadh páirt aici sa bhéile.

Ansin, in agallamh an dorais, deirtear 'Ligigí isteach Bríd', faoi thrí. Tar éis an dealbh a shuíomh ag an mbord, labhraíonn an t-athair go direach le Bríd: "A Bhríd Bheannaithe, go gcuire tú an teach seo thar anachain na bliana." Níl aon amhras ach go bhfuil an idé d'fhilleadh Bhríde ón alltar agus a láithreacht sa ghnás go mór chun tosaigh. In áiteanna eile creidtear i bhfilleadh Bhríde ar an Oíche Naofa ach anseo déantar é a chur i láthair go drámatúil. Is deacair a dheimhniú ar cheap na daoine go raibh Bríd ag ithe leo ar chuma éigin. Mar a chonaiceamar arís agus arís eile, is minic a chuirtear an beart luachra/tuí faoin mbord fad a bhíonn an béile ar siúl agus is minic chomh maith a chuirtear an bia anuas ar an luachair. Dealraíonn sé gur teagmháil fhisiciúil le Bríd atá i gceist chun beannacht a fháil ar bhia agus ar bhéilí na bliana.

I ndiaidh an tsuipéir, tógtar an dealbh agus baintear a cuid éadaigh di. Tugtar an muifléad don athair mar ghléas cosanta ar chontúirtí na mara. Déantar na héadaí eile a sracadh agus na píosaí a roinnt ar mhuintir an tí mar leighis ar aicídí áirithe. Déantar an beart tuí a sracadh as a chéile chun crosa dídine a dhéanamh chun an teach a chosaint ar stoirmeacha, agus ar thine i gcásanna eile. I ndiaidh na crosa a dhéanamh déantar buaracha chun brí slándála Bhríde a chur ar na ba. In áiteanna eile, mar a chonaiceamar cheana féin, cuirtear an luachair i dteagmháil leis an síol atá á chur sa chré san earrach chun torthúlacht na talún a chinntiú.

Tá cuntas an-bhreá ag Thomas Mason ó Inis Oirr:
"On the first day of February old women get some straw, also some

clothing and dress up the image of St. Brigid. They then go from house to house, saying a prayer as they enter the house. From this straw each person takes some of it and makes a cross the same as enclosed. This cross is nailed to the rafter inside the roof in remembrance of St. Brígid'. This is the ceremony of the 'Brídeog'."
(1945, 164)

Sa chás seo is cosúil gur cros bheag shimplí a bhí i gceist toisc nach mbeadh mórán tuí le spáráil agus na mná ag dul ó theach go teach. Sracadh an Bhrídeog/dealbh as a chéile chun na crosa a dhéanamh.

Ach, más é an beart luachra/tuí Bríd féin tagtha ar ais ón alltar, an ionann sracadh an bhirt óna chéile agus sracadh Bhríde óna chéile nó diabhllaíocht?

Tá trácht le fáil go tiubh ar íobairt an dé agus roinnt a bhall chun an domhan a chruthú, nó a chothú i sláinte agus faoi rath, sa traidisiún IndEorpach. Cuirtear cruthú an domhain i leith roinnt Purusa – an fear thar barr nó an bunfhear eiseamláireach.

Tá miotas mar seo le fáil go forleathan ina bhfuil cur síos ar chruthú na cruinne ó bhaill bhunduine atá sractha as a chéile san íobairt dhaonna. Luann Bruce Lincoln téacs MeánPheirseach ón 9ú haois, Skend Gumanig Wizar 16, 8-13: *"This also is said (by the Manicheans): the bodily, material creation is of the Evil Spirit – all the bodily creation is of the Evil Spirit. More precisely, the sky is from the skin, the earth is from the flesh, the mountains are from the bone, and the plants are from the hair of the demoness Kuni."* **(Lincoln, 1991, 180)**

Tá an teagasc céanna le fáil in Edda na hÍoslainne:

"From Ymir's flesh the earth was made and mountains from his bones; Heaven from the skull of the rime-cold giant and from his blood, the sea. **(Lincoln, op.cit. 180)**

Is é an rud atá sa téama go bunúsach ná ceangal idir an domhan agus colainn an duine, idir an maicreachosmas agus an miocrachosmas.

Chomh maith leis sin, tá cosúlachtaí áirithe idir baill na colainne (an miocreachosmas) agus páirteanna na cruinne (an maicreachosmas) – tá cosúlacht idir feoil an duine agus cré na talún, idir cnámha an duine agus clocha, idir anál an duine agus an ghaoth, idir fuil an duine agus an mhuir, agus mar sin de.

Ach tá níos mó ná cosúlacht eatarthu de réir an tseandearcaidh. Téann an maicreachosmas agus an miocreachosmas i bhfeidhm ar a chéile. I gcuid mhaith de na téacsanna éagsúla bogtar ón miocreachosmas go dtí an maicreachosmas. Ó bhaill roinnte Purusa déantar na grúpaí difriúla den sochaí Indiach in ord agus eagar ag dul ón gceann de réir a n-uaisleachta. Tagann dúile eile na cruinne – grian, ré, spéir, talamh, gaoth, etc., ó chodanna difriúla a choirp. Tarlaíomn mar an gcéanna le Ymir agus leis an mbandeamhan Kuni – is as baill scartha a gcorp a dhéantar feiniméin éagsúla an chosmais. Gluaiseacht Chosmaganach a thugtar ar an ngluaiseacht seo ón miocreachosmas go dtí an maicreachósmas.

Go dtí seo, baineann na samplaí leis an mbuneachtra airchitípeach a tharla fadó, fadó, in aimsir na ndéithe, san am atá taobh amuigh den am, 'en arche', 'in illo tempore'.

Ach sa timpeallacht IndEorpach creideadh gur athghníomhú den bhuneachtra chruthaíoch seo a bhí san íobairt agus gur imigh an íobairt i bhfeidhm ar an gcosmas á láidriú agus á chaomhnú. De réir an chuntais a thugann Herodotus ar ghnásanna na bPeirseach, canann na magi "Theogony", 'sé sin le rá, dán an chruthaithe le linn ainmhí a íobairt agus a bhallsracadh. Deineadh é sin ar mhaithe le dúile éagsúla an mhaicreachosmais, sé sin le rá, an ghrian, an ré, an tine, an t-uisce, an ghaoth **(Lincoln, op.cit, 168-169)**. De réir Herodotus, tugann an dán a chanann an Magus (agus ní raibh sé ceadaithe íobairt a dhéanamh gan Magus a bheith i láthair) cuntas ar bhunús na ndéithe. Agus ba ionann iad na dúile agus na déithe i measc na luathPheirseach. Dá bhrí sin ní raibh íomhánna acu ná teampaill agus ba é an nós a bhí acu dul suas ar mhullach sléibhe i radharc na firmiminte chun íobairt a

dhéanamh agus an t-ainmhí a ghearradh i bpíosaí éagsúla.
(Herodotus; Persian Wars; 1; 131-132; Edit.: Rawlinson, C., New York, 1942).

Mar an gcéanna, bhíodh an saoi Críostaí Connla Caoinbhreathach ag argóint leis na draoithe, mar deiridís gurbh iad féin a rinne neamh agus talamh agus grian agus éasca agus mar sin de **(Senchus Mór; 122).**

Tá macalla den teagasc céanna le fáil i measc dhraoithe Ceilteacha na MórRoinne mar is léir ó chuntais Caesar (De Bello Gallico, 6.14) ina bhfuil caint faoi eolas na ndraoithe ar rothaíocht na réaltai, méid an domhain agus tailte, nádúr nithe, cumhacht na ndéithe.

Díreach cosúil le Herodotus agus an gá le Magus a bheith i láthair ag íobairt i measc na bPeirseach, deir Diodorus Siculus **(5. 31. 2-4)** mar gheall ar an Ceiltigh: *"it is not their custom to make a sacrifice without a philosopher (druid)"* agus déanann sé cur síos ar nós na híobartha agus conas mar a bhí na draoithe in ann fáistine a dhéanamh as crith nó sracbhallaíocht an íobartaigh.

Déanann Pomponius Mela, a bhí ag scríobh idir 41 agus 44 A.D. tagairt don sracbhallaíocht chomh maith:

"(The Gauls) are arrogant and superstitious. and at one time they were so savage that they believed a man to be the best and most pleasing sacrificial victim for the gods. Vestiges of their past ferocity remain, so that while they refrain from the final dismemberments (ultimis caedibis), nonetheless they take off a little portion (from the victims) when leading the consecrated ones to the altars."
(De Situ orbis 3.2. 18-19)

Luann Lincoln **(op.cit., 169)** na treoracha a ghabhann le láimhseáil bhaill ghearrtha an ainmhí íobartha sa traidisiún Indiach a thaispeánann go soiléir an caidreanth idir baill scartha *an íobartaigh agus codanna éagsúla na cruinne:*

" 'Cause its eye to go to the sun; send forth its breath to the wind; its life-force to the atmosphere; its ear to the cardinal points; its flesh to the earth.' Thus (i.e. with this sacred formula and the

accompanying gestures) the priest places this victim into the parts of the universe." **(Aitareya Brahmana 2.6)**

Sa tslí sin, is athghníomhú chruthú na cruinne an gnás íobartha mar déanann sé aithris ar íobairt agus ar bhallsracadh Purusa as ar deineadh an domhan sa tráth cianársa.

Sa chomhthéacs IndEorpach seo is furasta a aithint conas mar a bheadh cuid mhaith den fhírinne ag na húdair chlasaiceacha agus iad ag trácht ar íobairtí daonna na gCeilteach agus marú phríosunaigh chogaidh **(Tierney, J., The Celtic Ethnography of Posidonius; Dublin 1960, 196, 206, 251, 252)**. Bhí níos mó ná fiántas ann, mar taobh thiar den bharbarthacht bhí fealsúnacht i réim a rinne comhcheangal idir an duine agus an chruinne, idir miocreachosmas agus maicreachosmas. Trí mheán na híobartha, agus an chogaidh chomh maith, b'fhéidir, bhí na draoithe ag iarraidh an domhan a chothú agus an saol a choimeád ar siúl. Nuair a deir **Strabo (iv, 4, 4)** go gcreideann na Ceiltigh go mbeadh toradh na talún go flúirseach nuair a bheadh uimhir na ndúnmharaithe go líonmhar, is í an bhrí atá le baint as de réir cosúlachta ná go mbeadh na barraí go maith toisc líon mór na ndhúnmharthóirí a chuirfí chun báis mar íobairtí daonna **(MacCulloch, 1911/1991, 235)**.

Ach ní in aon treo amháin a bhí an córas rúnda seo ag oibriú i gcónaí, 'sé sin le rá ón duine go dtí an chruinne, nó ón miocreachosmas go dtí an maicreachosmas.

Bhí an córas ag gníomhú sa treo eile chomh maith. Mar, bhí an t-aer, an talamh, an bia, na lusanna, solas na gréine agus mar sin de – na rudaí go léir a chothaigh an íobairt (agus an ghluaiseacht ón duine go dtí an chruinne) – ag oibriú ar mhaithe leis an duine nó an cine daonna. Thug an talamh agus ainmhithe áirithe bia dó chun é a choimeád beo; thug an ghrian agus an ré solas dó; thug lusanna leigheas dó ina chuid galar. Mar sin, córas ciorcalach uileghabhálach a bhí ann, mar a deir Lincoln:

"Within a totalistic and totalizing system of thought, however – a system which centered upon the homology of microcosm and

macrocosm, and the complementarity of cosmogony and anthropogony, sacrifice and such anti-sacrificial operations as eating and healing – all pieces of the system were mutually reinforcing. The system thus possessed enormous persuasive power, by virtue of the vast scope and variety of phenomena which could be explained within it. I would note briefly, for instance, the analysis of birth and death which formed an important part of this awesome inclusive system, for death was regarded as nothing less than a cosmogonic action – a final sacrifice, in which the material substance of the body was transformed into its macrocosmic alloforms, while birth was the anthropogonic reversal of death, in which cosmic matter was reassembled in bodily form."
(Lincoln, op. cit., 172)

Léiríonn an miotas a bhaineann le Dian Cécht agus le Miach, a mhac, an ceangal idir an maicreachosmas agus an miocreachosmas ó thaobh chúrsaí leighis de.

Rinne Dian Cécht, lia Thuatha Dé Danann, lámh airgid do Nuada mar baineadh an lámh dheas de i gCath Maige Tuired a hAon (Magh Tuiredh Cunga).

Ní raibh meas ag Miach – mac le Dian Cécht – ar an ngaisce a rinne a athair agus chuir sé feabhas mór ar an obair go dtí go raibh lámh Nuada chomh maith beagnach lena bhall nádúrtha. Bhí go maith agus ní raibh go holc.

Nuair a chonaic Dian Cécht conas mar a sháraigh a mhac é chuir sé éad air agus le neart feirge mharaigh sé a mhac.

Deineadh Miach a adhlacadh agus óna uaigh d'fhás 365 lusanna de réir líon ailt agus féitheacha an choirp.

Tháinig Airmedh, a dheirfiúr, go dtí an uaigh agus leath sí a brat ar an talamh. Leag sí amach na lusanna ar an mbrat in ord is in eagar de réir a mbuanna. Ach ghabh Dian Cécht an tslí, rug sé greim ar an mbrat agus scaip sé na luibheanna. Níl fhios ag aon duine ó shin i leith cén lus faoi leith a leigheasfaidh galar faoi leith **(Cath Maige Turedh, 33-35)**.

Is siombail den iomláine na 365 lusanna – uimhir laethanta na bliana, agus tá lus ann do gach alt agus féith atá tinn.

Is as ailt agus féitheacha Mhiaigh a chruthaíodh na lusanna éagsúla (ón miocreachosmas go dtí an maicreachosmas) agus anois tá leigheas ag teacht ar ais ó na lusanna go dtí an corp daonna (ón maicreachosmas go dtí an miocreachosmas). Leigheasfaidh an lus a d'fhás ó cheann Mhiaigh tinneas cinn, an lus óna chroí galar croí agus mar sin de. Ní féidir an locht a chur ar Mhiach de bharr chaillteanas an eolais ach ar éad a athar.

D'éirigh an cheist faoi bhallsracadh Bhríde as an gcuntas ar Ghnás na Tairsí ó Ros Dumhach, Contae Mhaigh Eo **(IFC 903; 50-54)** agus d'éirigh toisc go raibh sé an-soiléir sa chás sin gurbh í dealbh Bhríde a bhí sa phunann agus í gléasta. Baineadh úsáid as na héadaí i gcomhair dídine agus leighis agus baineadh usáid as an bpunann féin – corp na deilbhe – chun na crosanna a dhéanamh i gcoinne stoirmeacha agus uile. I gcásanna eile bhí baint ag an luachair le torthúlacht na talún agus rath na n-ainmhithe.

Is iad na rudaí sin – dídean, torthúlacht, leigheas, an rath i gcoitinne – na rudaí a mbeadh an duine nó an tsochaí ag súil leo ó íobairt agus ó bhallsracadh an bhandé. Níl ach leideanna áirithe ann go raibh na daoine ag obair taobh istigh de chóras fíorársa miotaseolaíochta ach taispeánadh cheana féin go mbaineann filleadh rialta Bhríde ón alltar leis an mbandia níos mó ná leis an naomh. Mar sin, ballsracadh an bhandé chun dídean, torthúlacht, leigheas agus mar sin de a sholáthar a bheadh i gceist más mar sin atá sé in aon chor.

Tagann féilire na bliana agus ballsracadh íobartaigh le chéile san amhrán 'John Barleycorn'. Tagann muintir Haxey i Lincolnshire le chéile gach 'Plough Monday' (gar d'Fhéile na hEipeafáine, 6ú Eanáir) chun lionn a ól in ómós do John Barleycorn. Déanann an t-amhrán cur síos ar thriúr fear a mhóidigh John a chur chun báis:
"They ploughed, they sowed, they harrowed him in
Throwed clods upon his head."

Ach le teacht na fearthainne éiríonn sé os cionn talún. Tagann féasóg air, éiríonn sé buí; baineann na fir é san fhómhar.

Ansin, buaileann siad é agus sracann siad as a chéile é. Brúnn siad i muileann é agus déanann lionn de. Ach, d'ainneon na drochíde sin go léir is é John an fear is fearr. Is sú na heorna a chuid fola agus téann sí i bhfeidhm go tréan ar lucht a hólta. **(Dames, 1977, 16-17)**

" 'Twill make a man forget his woe;
'Twill heighten all his joy;
'Twill make a widow's heart to sing,
'Tho' the tear were in her eye.
(Pennick, 1989, 250)

I gcuntas suimiúil ó dhúiche Chorra Cluana agus Coillte Clochair, Contae Liatroma, léirítear go raibh agallamh an dorais imithe i léig, ach gur cuireadh an beart luachra faoin mbord i rith an bhéile. Taispeántar conas Cros Bhríde a dhéanamh le 49 brobh luachra agus cuirtear in iúl go raibh siúlóid timpeall an tí ar siúl chun beannacht Bhríde a bhronnadh ar an teach:

"On the evening of the feast, a bunch of rushes is cut, and placed under the table. After the supper, the cross is made. The cross I always make is the rush cross, and to make this properly you require 49 rushes. One of these is unbroken and the other 48 bent and form the 4 sides of the cross. The unbroken rush represents Jesus Christ and the twelve on each side represent the 12 Apostles. St. Brigid always had great devotion to Jesus Christ and the 12 Apostles and hence the number of rushes ...

When the cross was made, the head of the house went round the house with it and placed it in every window and door round the house and said at each entrance of window: 'St. Brigid, save us from all fever, famine and fire.' **(IFC 902; 283-286)**

86

CAIBIDIL A hAON DÉAG

CROS BHRÍDE

Ar an gcéad dul síos is féidir scagadh a dhéanamh ar na saghasanna difriúla de Chros Bhríde agus seacht bpríomhchineál díobh a aithint:

1 An Chros Cheithrechosach nó an cineál *'Swastika'*;
2 An Chros Thríchosach;
3 An Chros Dhiamantúil;
4 An Cros Idirfhite;
5 Bogha Bhríde;
6 LomChros Bhríde;
7 Cros na Punainne;

1 An Chros Cheithrechosach

Déantar an saghas seo croise as luachair de ghnáth cé go mbaintear úsáid as tuí uaireanta chomh maith. Níl aon chreatlach adhmaid ag an gcros seo agus cuirtear le chéile í trí dhúbláil feagach thar a chéile. Uaireanta ní úsáidtear ach ceithre fheag ach i gceann mór bíonn suas le fiche. Tá dáileadh fairsing ag an gCros Cheithrechosach go mór mór i

87

gCúige Uladh agus i gCúige Laighean. Ceanglaítear na feagacha i ngach cos le chéile ag na deirí. **(Danaher, 1972, 17).**

Cuireann an cineál seo croise gluaiseacht agus rothaíocht i gcuimhne do dhuine agus is suimiúil comparáid a dhéanamh idir í agus an dearadh ar Ardchros Chill Chuillinn, Contae Chill Dara. Taispeánann an dearadh ceithre rinceoir agus greim gruaige acu ar a chéile agus iad ag gabháil timpeall go ciorcalach. Tarlaíonn an téama seo arís ar Ardchros Áth Eine, Contae Thiobrad Árann.

2 An Chros Thríchosach

Chomh maith leis an gcros cheithrechosach tá cros den saghas céanna le fáil in áiteanna i gCúige Uladh ach níl aici ach trí chos. Tá a chuma air gur leagan simplí den chros cheithrechosach atá anseo agus dhéantaí í as tuí nó as luachair. Ní raibh aon chreatlach nó fráma ag teastáil chun an saghas seo croise a dhéanamh. Níl le déanamh ach féachaint ar Chros Cheithrechosach nó ar Chros Thríchosach Bhríde chun teacht ar idé de ghluaiseacht mar is roth atá ann, dáiríre. Baineann sé sin go dlúth, ní nach ionadh, le Féile Bríde ach go háirithe toisc go marcálann sí an pointe gluaiseachta ón ngeimhreadh go dtí an t-earrach.

Ach chonaiceamar cheana féin gur siombail den ghrian í an *swastika* agus ó thaobh an chine dhaonna de is í an ghrian an taistealaí is mó toisc go n-éiríonn léi gabháil timpeall na cruinne in aon lá amháin. Míníonn Jane Harrison an bhrí a ghabhann leis an roth agus í ag caint faoin gcarbad gréine a fuarthas i Trundholm ina dtaispeántar capall ag tarraingt diosca na gréine i gcarbad:
"It is of course the wheel in motion that has power magically to compel the sun to rise. The wheels in sanctuaries were turned by ropes with the like intent" **(1989, 524)**

3 An Chros Dhiamantúil

Bhi dáileadh níos fairsinge ar an gCros Dhiamantúil ná mar a bhí ar aon chineál eile. Bhí sí le fáil i ngach Cúige agus i gCúige Chonnacht go háirithe. Bhí teacht uirthi i gCúige Uladh i gContae Dhún na nGall, i gContae Ard Mhacha, i gContae Mhuineacháin agus i gContae an Chabháin. I gCúige Laighean bhí sí le fáil i gContae na Mí, i gContae Chill Dara, i gContae Uíbh Fháilí agus i gContae Loch Garman. Bhí teacht uirthi i ngach contae i gCúige Mumhan chomh maith. **(O'Sullivan, 1973, 72)**. Fágann John O'Sullivan Contae Chorcaí as an áirearmh de bhrí nach raibh tuairisc ar a leithéid i LSS Bhéaloideas Éireann is dócha, ach is cuimhin liom go maith go raibh sraith de chrosa den saghas seo i mo sheanteach féin in aice le Mainistir Fhearmaí.

Bhí creatlach nó fráma adhmaid/sreinge i bhfoirm chroise ag teastáil chun í a dhéanamh. De ghnáth, is as tuí a dhéantar an saghas seo ach anois is arís baintear úsáid as luachair agus uaireanta bíonn tuí agus luachair le chéile chun dath deas ealaíonta a thabhairt don diamant. Tarlaíonn sé go minic go mbíonn cosa adhmaid an fhráma ag gobadh amach thar an gcros. Sa chás seo is féidir diamant eile a dhéanamh agus a chur leis an diamant mór chun lámhdhéantús an-ornáideach a tháirgeadh. Tá samplaí den chros dhiamantúil shingil agus iolrach le fáil san Iarsmalann Náisiúnta ach is léir gurb í an chros dhiamantúil shingil an buncheann.

Ní amháin gurb í an Chros Dhiamantúil an ceann is coitianta in Éirinn ach is féidir comparáid a dhéanamh idir a cuma shuntasach agus dearadh a théann siar na cianta.

Tá an dearadh céanna le fáil i ndealbha fíorársa de bhandia an tsonais ón tseanEoraip. Tá an fhíor chéanna deartha ar bholg an bhandé ó Gladnice gar do Pristina i ndeisceart na Iúgsláive. Téann an dealbh siar go dti c. 6000 R.C. **(Gimbutas, 1989, Fig. 203)**.

Mar an gcéanna, fuarthas an dearadh céanna i dtuaisceart Moldavia. Ar bholg an bhandé atá sé arís agus tá sé roinnte i gceithre cheathrú an babhta seo le ponc i ngach ceathrú. **(Gimbutas, 1989, Fig. 204)**.

Ó Bordjos i dtuaisceart na Iúgsláive arís, tagann fíor mhná noichte agus soitheach ina lámha aici. Ceapann an t-ollamh Marija Gimbutas go mb'fhéidir gur ortha bháistí atá i gceist sa radharc seo ach tá an dearadh diamantúil go soiléir ar shuíochán na mná **(Gimbutas, 1989, Fig. 94)**.

Glaotar *"The Lady of Pazardzik"* ar dhealbh an bhandé ón mBulgáir c 4500 R.C., Arís, tá an diamant ar gach más den bhandia. **(Gimbutas, 1989, Fig. 206)**.

Ní i gcomhair na h-ornáidíochta de atá an dearadh seo ar chorp an bhandé, a deir Gimbutas, ach chun a feidhm a léiriú mar bhandia na torthúlachta atá freagrach as fás agus forbairt an fhásra **(Gimbutas, 1989, 208)**.

"The dot, representing seed, and the lozenge, symbolizing the sown field, appear on sculptures of an enthroned pregnant goddess and are also incised or painted on totally schematized figurines. A lozenge with a dot or dash in its centre or in the corners must have been the symbolic invocation to secure fertility. Less abstract are the Early Cucuteni figurines from western Ukraine where the entire body, particularly the abdomen and buttocks, were impressed with real grain ... A lozenge is often the most pronounced feature, the rest of the female body serving only as a background to the ideographic concept". **(Gimbutas, 1989, 205)**.

Feicfimid ar ball beag nós ó Chontae Loch Garman a léiríonn an rud seo go cruinn beacht.

Míníonn Gimbutas cé chomh tábhachtach a bhí fíor an diamant, nó muileata, mar shiombail de bhandia na torthúlachta agus a nasc leis an ngort ina bhfuil síol an arbhair curtha:

"The seed must have been recognized as a cause of germination and growth, and the pregnant belly of a woman must have been assimilated to field fertility in the infancy of agriculture. As a result, there arose an image of a pregnant goddess endowed with the prerogative of being able to influence and distribute fertility. The belief that woman's fertility or sterility influences farming persists almost universally in European folklore. Barren women are regarded as

dangerous; a pregnant woman has magical influence on grain because like her, the grain 'becomes pregnant': it germinates and grows.

The Pregnant Goddess can be deciphered either by means of her quasi-ideogram – a dot in a lozenge, or a lozenge within a lozenge – incised or painted on her belly, thighs, neck or arms, or by the naturalistic portrayal of a pregnant female with hands above the belly. She is related to the square, the perennial symbol of earthbound matter." **(Gimbutas, 1989, 201)**.

Tá an muileata le fáil arís sa dealbhóireacht i mBrú na Bóinne, i Fourknocks, agus i gCnoghbha **(Eogan, 1986, 153)**.

I ngrianghrafanna suimiúila déanann P. Ó Síocháin comparáid idir an muileata deartha ar an gcloch i mBrú na Bóinne agus an muileata atá mar dhearadh coitianta i ngeansaí Árann. B'fhéidir go bhfuil an tseanmhóitíf mheigiliotach seo caomhnaithe sa daonealaíon síos go dtí an lá atá inniu ann sa gheansaí agus i gCros Bhríde.
(1967, 179, 181)

Tá an dearadh diamaint le fáil in ealaín eaglasta in Éirinn chomh maith: ar an gCros i nDomhnach Mór, Contae Thír Eoghain, sa túr cruinn in ArdEaglais Bhríde i gCill Dara, in ArdEaglais Chill Dá Lua, Contae an Chláir, Killeshin, Contae Laoise, Eaglais an tSlánaitheora, Gleann Dá Loch, Contae Chill Mhantáin. Tá an muileata le fáil freisin i ndoras Eaglais na mBan Rialta i gCluain Mhic Nóis, Contae Uíbh Fháilí, i dTuaim Gréine, Contae an Chláir, in ArdEaglais Chluain Fearta, Contae na Gaillimhe, **(JRSAI, XLII, part 1, 1912, Fig.6)**, agus ar an ArdChros i Maoin, Contae Chill Dara.

Sa mhiotalóireacht, taispeántar an diamant i nDealg na Teamhrach agus sa dealg a fuarthas i Ros Cré, Contae Thiobrad Árann.

Is léir mar sin, go bhfuil an dearadh áirithe seo le fáil in iliomad áiteanna agus i dtoscaí éagsúla agus go dtéann sé siar go dtí an ré mheigiliotach. Ón taighde a rinne Marija Gimbutas ar an dearadh seo in ealaín na SeanEorpa is léir go mbaineann sé le torthúlacht agus le bandia an tsonais go háirithe. Is oiriúnach é, gan amhras, d'Fhéile Bríde, do dheireadh na dúluachra, do shíneadh na laethanta, d'aiséiri an fhásra, do bhreith na n-uan, do chur na mbarr, d'fhlúirse bainne, do thús thráth na hiascaireachta, d'fhilleadh Bhríde féin ón alltar.

4 An Chros Idirfhite

Déantar an saghas seo croise as luachair, nó as tuí, nó as cíb. Chun an chros a dhéanamh cuirtear roinnt feagacha le chéile i mbandaí agus déantar iad a idirshníomh i riocht croise. Murab ionann agus an diamant, an chros cheithrechosach agus an chros thríchosach tá fíor na croise Críostaí le haithint sa chineál seo lámhdhéantúis gan aon dua.

Tá an saghas seo le fáil i gContae Chiarraí, i gContae Chorcaí agus i gContae an Chláir sa Mhumhain; i gContae Shligigh agus i gContae Liatroma i gConnachta; i gContae Dhún na nGall, i gContae Dhoire, i gContae Ard Mhacha agus i gContae Mhuineacháin in Ultaibh **(O'Sullivan, 1973, 78)**.

Tá a mhacasamhail den dearadh seo taobh istigh de dhiamant le feiceáil ar chloch ghreanta i séipéal an tSlánaitheora i nGleann Dá Loch **(Leask, Fig. 16)**.

5 Bogha Bhríde

Is cros taobh istigh de bhoghaisín an Bogha Bhríde. De réir na samplaí atá caomhnaithe in Iarsmalann na hÉireann, dhéantaí é as féar, nó as tuí, nó as sail. Níl ach dáileadh cúng orthu – tá siad le fáil i gCúige Mumhan amháin, i gContae Chorcaí, i gContae Luimnigh agus gContae Thiobrad Árann **(O' Sullivan, 1973, 76)**.

6 Lomchros Bhríde

Tugtar an t-ainm seo don chineál croise ina bhfuil ornáideachas in easnamh a bheag nó a mhór agus a bhfuil daoine in ann é a aithint lom láithreach mar chros.

Déantar an chros seo go minic as dhá thrilseán tuí nó luachra agus ceanglaítear sa lár iad. Uaireanta eile bíonn na trilseáin de dhíth orthu. Níl dáileadh ró-fhairsing uirthi ach buailtear léi corr-uair i gContae. an Chláir, i gContae na Gaillimhe, i gContae Ros Comáin, i gContae an Dúin, i gContae na Mí, i gContae na hIarmhí, i gContae Longphoirt, i gContae Chill Chainnigh, i gContae Mhaigh Eo, i gContae Liatroma, i gContae Mhuineacháin agus i gContae Chill Dara (**O'Sullivan, 1973, 78**). Tá crosa eile le fáil a bhí níos simplí fós, 'sé sin le rá go ndéantaí as dhá phíosa adhmaid iad agus iad ceangailte nó tairneáilte le chéile sa lár. Tá crosa den saghas seo cuíosach forleathan. Tá siad le fáil gContae Chiarraí, i gContae Luimnigh, i gContae an Chláir agus i gContae Thiobrad Árann sa Mhumhain; i gContae na Gaillimhe, i gContae Mhaigh Eo agus gContae Ros Comáin i gConnachta; i gContae an Dúin agus i gContae Ard Mhacha in Ultaibh; i gContae na Mí, i gContae Uíbh Fháilí, i gContae Laoise agus gContae Loch Garman i gCúige Laighean (**O'Sullivan, 1973, 78**).

Uaireanta bíonn roinnt tuí ag ceangal na slat dá chéile. Sna saghasanna seo, is cosúil go raibh truailliú ag teacht ar an traidisiún agus gur crosa muileatacha a bhí ann ar dtús. Chiallódh sé sin go mbíodh an chros dhiamantúil níos forleithne fós ar fud na tíre.

7 Cros na Punainne

Níl cuma chroise ar an gcineál seo, dáiríre, mar is é an rud atá ann ná dhá mhionphunainn leis an ngráinne fós orthu ceangailte dá chéile le scolb. Déantar an tuí a fhí i bhfoirm thrilseáin. Uaireanta cuirtear práta in éineacht leo. Cuirtear an scolb tríd an bpráta agus trí na punanna chun an rud go léir a ghreamú de na frathacha.

Baineann Cros na Punainne leis an taobh thoir theas de Cho. na Gaillimhe agus le Contae Ros Comáin.

Sa chuntas breá a thug Anne Tuohy, Ballygreaney, Ballymacward, Contae na Gaillimhe (**IFC 902; 182**) mhínigh sí conas mar a leagtaí punann choirce agus práta ar leac an dorais oíche 'le Bríde. Ansin chrochtaí suas iad sa teach, am luí. Teacht an earraigh thógtaí na gráinní agus mheasctaí iad leis an síol a bhí á chur. Dhéantaí an rud céanna leis an bpráta – mheasctaí é leis na scoilteáin eile.

Déanann James Delaney cur síos ar an méid béaloidis a bhailigh sé sa dúiche mórthimpeall ar Thobar Bhríde, Camach, Curnalee, An Ghráinseach, i ndeisceart Ros Comáin. Tráchtann sé ar conas mar a rinne Tom Dolan Cros na Punainne le dhá phunann choirce, práta agus scolb. Tráth chur na síolta, thógtaí an chros anuas ó na frathacha, bhaintí an grán di agus chuirtí suas na punanna arís.

B'fhéidir gur léiriú ar chleachtas den saghas céanna atá le haithint i bpictiúr cáiliúil fhleá na bainise le Pieter Brueghel ina bhfuil dhá phunann bheaga le feiceáil ar crochadh ar an mballa taobh thiar den bhrídeach **(Cammaerts, 1945, Pl. 32)**.

Tá a chosúlacht air gur mhair sean-nósanna go tiubh sa limistéar seo timpeall ar Thobar Bhríde. Bhí clú agus cáil ar an tobar féin agus thagadh na sluaite chuige go dtí le déanaí (Lá an Phátrúin – Domhnach Chrom Dubh sa chás seo), 'sé sin le rá an Domhnach deireanach de Mhí Iúil, ach is dócha go mbíodh daoine ann Lá 'le Bríde chomh maith. Tháinig Raghnall Mac Dónaill (rinneadh Iarla Aontroma de níos déanaí) agus a bhean chun an tobair sa bhliain 1604 ag guí go mbeadh leanbh acu. Rugadh leanbh dóibh agus mar chomhartha buíochais do Bhríd thóg an tIarla geata ornáideach ag gabháil isteach chun an tobair **(Mac Néill, 1982, 11, 633)**.

Ar an taobh thiar den Sionnainn, mar sin, ó Phort Omna go dtí Loch Ríbh, bhí dúiche cuíosach fairsing le fáil inar cuireadh in iúl go soiléir an dlúthbhaint a bhí idir Cros Bhríde agus síolchur. Buailimid leis an bhfeiniméan céanna, 'sé sin le rá meascadh síol na croise leis an síol atá á chur san earrach, i gcuntas suntasach ó Chontae Loch Garman:
"Crosses were made by some at home – if crosses you could call them. It was made of straw and were (was) started by rolling the straw round a grain of corn – by the ends. When finished it took the

shape of a diamond and was fixed to the rafter by a small nail. When the first grain was being sown, this grain was taken out and put into the first bucketful. The straw was left in position and the age of a house might be determined by counting the 'crosses.'
I cannot say if the custom still exists." **(IFC 907; 164-165; F. Mac Niocláis, Bun Clóidí, Fearna, Loch Garman, a scríobh).**

Sa chleachtadh suntasach seo is féidir an "dot in a lozenge" a aithint. De réir Gimbutas, is é seo fíor an bhandé agus í torrach **(1989, 201).**

In áiteanna éagsúla cuireadh an ceangal idir cros agus torthúlacht na talún in iúl i slí eile, 'sé sin le rá trí chur na seanchroise faoi thalamh:
"In County Armagh when Brigid's Crosses are made they must not be lightly thrown aside when they can no longer be preserved. They must then be burned or buried. No reason was given to me for the burning but I have been told that the burial conveyed Brigid's blessing to crops **(IFC 905; 40; T.S.F. Paterson, a scríobh).**

Luaitear dó na seanchrosa in áiteanna éagsúla i gContae Dhún na nGall **(IFC 904; 33; 161)** ach de ghnáth d'fhágtaí na seanchinn ann agus i gcuntas ó Chontae na Gaillimhe dúradh go raibh suas le caoga le feiceáil i dtithe áirithe **(IFC 902; 181).** Is cosúil go mbíodh doicheall ar dhaoine na seanchinn a thógaint anuas agus go raibh páirt acu i stair an teaghlaigh mar a léiríonn an cuntas seo ó Chontae Chiarraí:
"As each generation passed out, the old crosses were taken down and the series began anew. In this way, the number of crosses on the rafters denoted the number of years spent in married life by the couple then living." **(IFC 899; 192; Annraoi Ó Conchúir, Ceann an Tóchair, Trá Lí, a d'aithris; Annraoi Ó Conchúir, O.S., Ráth Uí Mhuirthille, An Tóchar, Trá Lí, Contae Chiarraí, a scríobh).**

Tagann cuntas ó Chontae an Chabháin i dtaobh shaghas suntasach croise a bhíodh in úsáid i gCorrloch. Bhí dlúthbhaint aici le bainne. Bhí an chros cosúil leis an gcros cheithrechosach ach í déanta d'adhmad. Nuair a bhíodh duine ag doirteadh bainne isteach i soitheach leagadh sé an chros ar bhéal an tsoithigh agus bun an scagaire ag gobadh isteach i lár na croise. Sa tslí sin dhoirtí an bainne isteach sa soitheach tríd an gcros chun beannacht Bhríde a sholáthar **(IFC 905; 177)**.

Mar a dúradh cheana sa chur síos ar leagadh na punainne taobh amuigh den doras Oíche 'le Bríde, is cosúil go bhfuil tús na croise tuí le lorg i ngnása bhaint an fhómhair agus sa "Chaillech" nó an phunainn dheireanach.

Tá an cuntas a thug T.G.F. Paterson ar an gCailleach nó an phunann dheireanach, i gContae Ard Mhacha, ar aon dul, a bheag nó a mhór, leis an gcur síos atá le fáil in Albain agus i Sasana. Dhéantaí punann den chuid dheireanach den bharr ar dtús, ansin chaitheadh na buanaithe a gcorráin léi chun í a ghearradh. Thógtaí abhaile agus chuirtí timpeall ar mhuineál bhean an fheirmeora í. Níos déanaí, chrochtaí suas sa chistin í. Uaireanta d'fhágtaí ansin í go dtí an chéad fhómhar eile, ach uaireanta eile, bhaintí na gráinní di agus chuirtí sa talamh iad san earrach i dtráth an tsíolchuir **(Evans, 1975, 198)**.

Thugtaí ainmneacha éagsúla ar an bpunann dheireanach in Albain:

"The name Bride is given to the last sheaf in districts as far apart as Midlothian and the mearns. In later times the distinction between the Cailleach and Bride was not everywhere maintained. In some districts, if cut before Hallowmas, it was called the Cailleach or Carlin. In the West Highlands, it is commonly called the Cailleach, whenever cut, and in the Central and East Highlands, it is always the Maighdean – Bhuana, the Reaping Maiden. It has other names" **(McNeill, 1959, 2, 120)**.

Baineann an "Bride" le gné mháithriúil an bhandé ina ról mar mháthair an arbhair. Agus an fómhar thart agus Samhain tagtha déantar "Cailleach" di. Ach níl sa dá théarma ach gnéithe difriúla den bhandia céanna. Féachann Michael Dames ar na fothracha ársa in Avebury Shasana mar neimheadh meigiliotach ina bhfuil go bunúsach ceithre stáisiún – áit faoi leith do gach gné de bhliainchúrsa an bhandé. Molann sé go mbaineann Cros Cheithrechosach Bhríde le léiriú an bhandé mar bhandia na gceithre ráithe.

Is iadsan: Samhain ina bhfuil an bandia ina riocht geimhridh mar Chailleach; Imbolc ina bhfuil sí ina riocht earraigh mar Bhrídeog; Bealtaine ina bhfuil sí ina riocht samhraidh mar Bhábóg agus Lúnasa ina bhfuil si ina riocht fómhair mar Mháthair an arbhair nó Baoith. Ansin, tosaíonn an timthriall arís agus leanann sé ar aghaidh mar sin go deo na ndeor. Mar a deir Dames:

"... the overall picture of the entire ensemble was to celebrate the annual life cycle of the Great Goddess, at temples which were her seasonal portraits.

The worshippers moved around this extended gallery of symbolic architecture in time with the changing seasons and the farming year, synchronized with the comparable events in the lives of the human Community, namely birth, puberty, marriage and death" **(1977, 122-123)**

B'fhéidir go bhfuil iarsma den timthriall céanna le haithint i bhféilte agus i dtoibreacha na dtrí naomh – Lasair (Imbolc), Iníon Bhaoith (Bealtaine) agus Laitiaran (Lúnasa) in éineacht leis an suíomh Coiscéim na Caillí i nDúiche Ealla i gContae Chorcaí **(MacNeill, 1982, 171)**.

Is féidir an bandia neoliotach ina gnéithe éagsúla a aithint i roinnt áirithe de na 'Corn Dollies' – an 'Maiden' (An Bhrídeog) ina gné earraigh, mar shampla, agus an 'Somerset Neck' agus 'Hereford Fan' mar íomhá den 'Chailleach' **(Dames 1977, 25)**.

Sa ghnáththarlú agus gan aon Fhéile Bhríde i gceist téann an 'Chailleach' isteach san ithir go luath san earrach am éigin i ndiaidh 'Plough Monday'. Imíonn sí go díreach ón teach go dtí an talamh mar 'Chailleach'. Ach sa chré tagann athchló uirthi agus éiríonn sí mar bhean óg arís san arbhar úr.

Is í an difríocht mhór idir an gnáthchóras seo agus córas Bhríde ná go dtagann an t-athchló ar an mbandia sara n-imíonn sí isteach san ithir in aon chor i gcás Bhríde.

Ó Shamhain anonn, tá an Chailleach againn i riocht punainne nó 'Babban ny Mhillea' ar crochadh sa teach nó sa scioból. Ansin, i ndiaidh ráithe, tagann Oíche 'le Bríde. Leagtar an Chailleach taobh amuigh den doras. Tagann Bríd ar cuairt ón alltar agus téann isteach sa phunann ina riocht nua mar Bhrídeog – an bandia ina riocht earraigh. Tá athchló tar éis teacht ar an bpunann – ó bheith ina siombail de sheanbhean chríonna chaite na Samhna go dtí Brídeog an earraigh. I dtéarmaí an tseanfhéilire is é an rud atá ann ná an turas ó Shamhain go hImbolc nó an turas ó West Kennet Long Barrow go dtí Swallowhead Spring san 'Avebury Cycle', nó ó Choiscéim na Caillí go Cill Lasrach i dtimthriall Dhúiche Ealla más fíor na tuairimí i dtaobh an cheantair sin. **(Seanchas Dúthalla, 1991, 50-54)**.

Don chuid is mó de is cosúil gur thosaigh an treabhadh níos luaithe i Sasana - díreach i ndiaidh 'Plough Monday', 'sé sin le rá beagáinín tar éis na hEipeafáine nó Lá Chinn Bhliana.

Sna samplaí ó Éirinn, áfach, bhaintí an grán den phunann bheag nó den chros chun é a chur sa chré ach d'fhágtaí an chuid eile den chros ann ar feadh na bliana. Sa bhealach seo, bhí Bríd ag feidhmiú mar chosantóir an teaghlaigh agus an eallaigh agus ag an am céanna, ag tabhairt aire do na barraí. Bhí a corp díbhallaithe ag feidhmiú ar leibhéil éagsúla.

Is féidir a thuiscint, mar sin, an fáth a bhí le leagan na punainne taobh amuigh den doras an Oíche Naofa. D'fhéadfaí a rá go raibh an bandia ina cónaí sa phunann cheana féin, agus bhí – bhí sí ann mar 'Chailleach' ina riocht geimhridh. Ach le teacht an earraigh ní raibh an riocht sin oiriúnach di a thuilleadh agus le cuairt Bhríde ón alltar, um Imbolc, tháinig athchló uirthi agus d'athraigh sí ó 'Chailleach' go 'Brídeog'. Ba mar 'Bhrídeog' a iompraíodh ó theach go teach í go díreach faoi mar a iompraíodh mar 'Chailleach' í ón ngort go dtí an teach i gcomhair an mheilséara.

Cé nach raibh an bhéim chéanna ar an gcuradóireacht in Éirinn agus a bhí i Sasana is cosúil gur bhain siúlóid na Brídeoige ó theach go teach ar an Oíche Naofa le traidisiún céanna na torthúlachta agus an bhandé agus a bhain le gnása 'Plough Monday' sa Bhreatain.

Uaireanta níor tharla 'Plough Monday' go dtí go luath i mí Feabhra. Tharraingíodh buachaillí (Plough Bullocks) nó mná neamhphósta céachta a bhíodh gléasta go gléigeal tríd an sráidbhaile ag bailiú airgid. Uaireanta bhíodh na buachaillí gléasta i léinte bána. I measc lucht an chéachta bhíodh an tAmadán ann agus é gléasta i seithe ainmhí. Mar an duine láir, áfach, bhíodh an 'Bessey'/'The Betsy' ann – bean (nó fear in éadaí mná). Ag deireadh lae, bhíodh rince sa scioból agus bhíodh an 'Bessey' ina suí ar an gcéachta agus dhéanadh na fir óga rince claímh. Sa ghnás seo seasann an 'Bessey' don bhandia **(Berger, 1988, 80)**.

Uaireanta ba fhear a bhíodh ann mar spiorad na bliana agus a bhás agus a athbheochan mar shiombail de bhás agus athbheochan an tsíl sa chré:

"The Fool, representing the spirit of the year, after providing amusement for the onlookers, is killed by the sword-dancers, who perform a mock funeral procession around him as he lies dead on the ground. The ceremonial plough now moves around the dancers in a circle and penetrates their ranks; where, at its fertilizing touch and the cry of 'Speed the Plough', the Fool springs to life; and the dancers finally move off, dragging the plough behind them". **(Whitlock 1978, 24)**.

Léiríonn Pamela Berger cé chomh lán atá Mí Feabhra leis an idé de thorthúlacht na talún. Baineann Naoimh áirithe mar Naomh Bríd (1 Feabhra), Blaise (3 Feabhra), Vailintín (14 Feabhra), Milburga (23 Feabhra), Walpurga (25 Feabhra), leis an síolchur ar shlí amháin nó ar shlí eile, agus bandia na torthúlachta faoi cheilt taobh thiar díobh **(1988; 62, 71, 81, 85, 69)**.

Caibidil a Dó Dhéag

BRAT BHRÍDE

"An Cochall Bhríde – (Brat Bhríde) – Brat do (de) líneadach ar nós haincisiúir póca a leataí amach faoin drúcht an oíche roimh Lá 'le Bríde – Oíche 'le Bríde tar éis dul faoi den ghréin. Tógtaí ansin ar maidin é roimh éirí gréine is d'fhilltí suas é, is bhíodh sé ag mná cabhartha ... Bhíos ana-olc i luí seoil ar an gcéad leanbh is chuir Neillí Ní Chiabháin (an bhean ghlúine) an Cochall Bhríde ar mo cheann is fuaireas faoiseamh." **(IFC 899; 108; Mein Mháire an Ghabha (Bean Uí Mhaoileoin), An Clochán, Baile na nGall, An Daingean, a d'aithris; Seán Ó Dubha, O.S., Carraig Bhaile na nGall, An Daingean, Contae Chiarraí, a scríobh).**

Mar an gcéanna, i gcuntas ó Chontae Mhaigh Eo deirtear go gcuirtear brat dearg amach san áit ina bhfuil an beart luachra taobh amuigh den doras díreach roimh an mbeart a thabhairt isteach sa teach ag Gnás na Tairsí, 'sé sin le rá, am suipéara, agus "ar maidin roimh éirí gréine tugtar isteach é agus cuirtear i dtaisce é." **(IFC 903; 12-13)**.

Tá an cleachtas mar gheall ar chur amach an bhrait tar éis fuineadh gréine agus a thabhairt isteach roimh éirí gréine curtha in iúl go daingean i bParóiste Bhaile Phiocháin, i gContae Thiobrad Árann:

"This ribbon, generally black, is put out on a tree or bush after sunset on Saint Brigid's Eve and is taken in in the morning before sunrise. ... This ribbon is a cure for certain ailments especially headaches." **(IFC 901; 153-154; Micheál Ó Dubhshláinge, Ard Fhionáin, Cathair Dhún Iascaigh, a scríobh).**

Bhí an cleachtas céanna i bhfeidhm i Ros Muc, Co. na Gaillimhe **(IFC 902; 36).**

Bhaintí úsáid as dathanna éagsúla i gcomhair Bhrat Bhríde. Ní raibh aon riail docht daingean leagtha síos agus nuair a bhí ball éadaigh i gceist bhraitheadh sé ar an dath a bhí air ó thús.

In áiteanna áirithe i gContae. Chorcaí bhí cosc ar ní an Bhrait **(IFC 900; 21; 53; 175).** Tá an traidisiún céanna le fáil i gClais Mhór, Contae Phort Láirge:

"Fanann an bheannacht ar na rudaí sin go ceann bliana, mura ndéantar iad a ní. Mar sin, ní ceart na hearraí seo (a leagtar taobh amuigh den doras) a ní ar chor ar bith; má dhéantar, imíonn an bheannacht díobh agus ní bhíonn aon leigheas iontu" **(IFC 900; 225; Mrs. Ellen Kiely and Mrs. Bridget Foley, Clashmore, a d'aithris; Íde, Bean Uí Chofaigh, Amharc na hAbhann, Bun Machan, Contae Phort Láirge, a scríobh).**

I gCúil Aodha, in iarthar Chorcaí, ba iad na mná agus na cailíní a chuir an brat amach agus ní raibh aon bhaint ag na fir leis **(IFC 900; 88).**

I gCoill Bheithne, Contae Luimnigh, bhíodh an Brat 30 orlach nó mar sin ar fhad agus 3 nó 4 órlach an leithead **(IFC 899; 217).** Bhí sé beagnach mar an gcéanna i gCaisleán Nua, Contae Thiobrad Árann **(IFC 901; 164)** – fad slaite ann. Ba chaoithiúil an tomhas é sin mar b'fhusa é a chur timpeall an chinn agus é a cheangal ag an gcúl. I gcuntas ó Ghleann na gCreabhar, Contae Luimnigh, deir an tuairisceoir go bhfaca sé féin fir ag caitheamh an Bhrait ag an Aifreann. Ba dhaoine iad siúd a bhíodh tugtha don tinneas cinn **(IFC 899; 263-264).**

Cé nárbh é brat míorúilteach Bhríde féin, nó giobal de, a bhí ag na daoine, is cosúil gur ghlac an píosa éadaigh a chuir siad

101

amach cuid éigin de na buanna a bhí ag baint le brat pearsanta Bhríde chuige féin trí theagmháil le Bríd agus í ag gabháil tríd an tír, an Oíche Naofa.

Cé go raibh an-tóir ar an mBrat mar leigheas ar thinneas cinn luaitear tinneas fiacal chomh maith i gContae Liatroma (IFC 902; 285-286) agus súile tinne i gContae an Chláir **(IFC 901; 46)**.

Ba é an buntáiste mór a ghabh le Brat Bríde ná a shoghluaisteacht. D'fhéadfadh duine é a iompar timpeall a chinn, nó é a thógáil ó áit go háit chun é a chur i dteagmháil le bean i leaba luí seoil nó le bó thinn agus a leithéidí, nó é a chur ina phóca ag dul chun farraige dó, nó é a fhuáil ina chuid éadaigh, nó é a chroitheadh san aer i gcoinne an anfa.

Sa tslí sin bhí sé difriúil le Chros Bhríde. Den chuid ba mhó de, ba rud teaghlaigh í an Chros. D'fhan sí seasmhach ar an mballa nó ar na fraitheacha chun an teach a chosaint ó dhul trí thine agus chun beannacht Bhríde agus a torthúlacht a bhronnadh ar mhuintir an tí.

Tugann W. Danaher, Sunvale, Athea, Contae Limerick chun cuimhne, cainteanna a bhi aige le seandaoine pharóiste Áth an tSléibhe. Baineann na cainteanna le tús an fichiú haois:

"Prayer to St. Brigid cured ringworm and allied skin trouble."(Mrs. John Ahearn)

"Her influence kept the Evil One far from the sick bed" (Dan Carroll); The Brat blessed in Brigid's name was supposed to drive out the demon from a girl possessed by the devil **(Richard F. Woulfe, Cratloe, 1904) and was so used by Father Ahearn, P.P., about 1800).**

Go gcuire Dia a neart,
Muire a Mac,
Bríd a Brat,
Colm a Leabhar
Idir sinn agus poll a' bháite,
saol cráite,

bás obann,
náire saolta,
deamhan Fírinne,
diabhal coimhdeachta".
(IFC 899; 206).

Is ionann 'deamhan Fírinne' agus 'Donn Fírinne' gan aon amhras. Bhain an dia Donn le cinniúint na marbh go háirithe, le torthúlacht na talún agus na mbeithíoch, le hanfa agus le longhbhriseadh. Tá a neimheadh suite i gCnoc Fírinne láimh le Cromadh i gContae Luimnigh agus gar d'Áth an tSléibhe **(Béal. 18, (1948), 144-145).**

In áiteanna éagsúla, bhíodh ortha faoi leith le rá ag an duine agus é ag cur an bhrait amach. Tá sampla breá den saghas ortha sin le fáil againn ó Pharóiste Mhaigh Chromtha in Iarthar Chorcaí:

Bríde agus a brat,
An Mhaighdean Mhuire agus a Mac,
Micheál agus a sciath,
Éist amháin le Dia.
(on hanging it)
Cas orainn aniar anocht
Agus bliain ó anocht,
Agus anocht amháin le Dia.
(IFC 900; 82-83; Neans Ní Shúileabháin, An Goirtín Rua, Cill na Martra, Contae Chorcaí, a d'aithris; Pádraig Ó Deasmhumhan, Sráid Nua, Maigh Chromtha, Contae Chorcaí, a scríobh).

Léiríonn an ortha seo go soiléir go bhfuil Bríd ag teacht ón alltar ar a timthriall bliantúil agus iarrtar uirthi a beannacht a bhronnadh ar an mbrat.

Déanann Seán Ó Súilleabháin tagairt d'Fhéile Bhríde nuair a chuireann sé an cheist i dtaobh Oíche Bhealtaine:

"Was a garment (e.g., the wedding-tie of the man of the house) exposed on a bush that night for some purpose?" **(1942, 333).**

Is é drúcht na Bealtaine atá i gceist aige gan amhras agus an píosa éadaigh mar úirlis chun é a bhailiú. Bhíodh an-tóir ar dhrúcht na Bealtaine in Éirinn agus i Sasana go dtí le déanaí beag, go mór mór i measc na mban, mar cheaptaí go raibh bua faoi leith ann áilleacht a thabhairt don duine a nigh í féin ann roimh éirí gréine Lá Bealtaine. Bhí leigheas ar ghalair chnis agus ar bhricíní ann, chomh maith **(Danaher, 1972, 108-109)**.

Léiríonn rann ó Shasana an cás go fileata:
"The fair maid who,
the first of May,
Goes to the fields
at break of day,
And washes in dew
from the hawthorn tree,
Will ever after
Handsome be".
(Opie and Tatem, 1992, 246).

Uaireanta, leataí éadaí ar an talamh chun glacadh le drúcht na lusanna ina dtimpeall. Labhraíonn Christina Hole faoin nós i Derbyshire, Sasana, braillín a ligean amach ar feadh na hoíche chun an drúcht a bhailiú:
"... delicate children used to be anointed with it. A sheet was spread out on the grass overnight, and the dew thus collected was rubbed next day into the child's loins" **(1978, 193)**.

Sa chuntas ó Chontae Chiarraí a chonaiceamar cheana féin **(IFC 899; 108)** bhí tagairt do leathadh amach Bhrat Bhríde faoin drúcht tar éis dul faoi na gréine agus é á thógáil isteach roimh éirí na gréine Lá 'le Bríde. Bheadh sé sin, a bheag nó a mhór, ar aon dul le nós dhrúcht na Bealtaine.

Luaitear an drúcht agus an sceach gheal arís i gcuntas ó Chontae Chorcaí:

"A clean piece of cloth is put out on a whitethorn bush on St. Brigid's Eve. This cloth must be the best material in the house – if possible linen. The rag (cloth) is soaked with dew in the morning. It is dried and preserved carefully during the year and is used as a cure".

(IFC 900; 31; Séamas Mac Coitir, Bóthar na Scairte, Beantraí, a d'aithris; Mary A. Crowley, Bárlinn, Beantraí, Contae Chorcaí, a scríobh).

Chonaiceamar, chomh maith, go raibh cosc ar ní an bhrait in áiteanna áirithe i gContae Chorcaí **(IFC 900; 21; 53; 175)** agus i gClais Mhór, Contae Phort Láirge **(IFC 900; 225)**. B'fhéidir gurbh é an bunús a bhí leis an nós sin ná drúcht na hOíche Naofa a chaomhnú. Chuirfeadh an níochán an drúcht ar ceal. Tá leid eile sa chuntas ó Chúil Aodha, Contae Chorcaí, a thugann tacaíocht don idé seo: níor bhain an brat le fir in aon chor ach le mná agus cailíní amháin **(IFC 900; 88)**. Bhíodh an cás amhlaidh i bParóiste Dhrom Dá Liag cóngarach do Chúil Aodha **(IFC 900; 53-54)**.

Tugann an traidisiún seo nós dhrúcht na Bealtaine chun cuimhne toisc gur mná ba mhó a bhaineadh úsáid as, cé nach raibh cosc ar fhir feidhm a bhaint as chomh maith.

D'fhéadfaí a rá, b'fhéidir, go raibh cúis freisin le tógáil isteach an bhrait roimh éirí gréine, mar, gan amhras, thriomódh an ghrian an drúcht sa bhrat agus chuirfeadh sí bua an drúchta ar ceal – díreach mar a dhéanfadh ní an bhrait é. I ndeireadh na dála is cosúil go raibh tionchair éagsúla ag teacht le chéile ó fhoinsí difriúla agus ag dul i bhfeidhin ar an ngnás. Sa Ghearmáin, bhíodh sé mar nós ag cuid de na daoine drúcht na Nollag a bhailiú agus a mheascadh leis an bplúr i ndéanamh cístí don fhéile. Thugtaí cuid den arán sin do na beithigh i rith na Nollag mar chreidtí go raibh bua na sláinte agus na torthúlachta ag baint leis go mór mór de bharr fhoirmle Aifrinn 'Dominica IV Adventus': 'Rorate, caeli desuper' **(Miles, 1976, 288-289)**.

CAIBIDIL A TRÍ DÉAG

CRIOS BHRÍDE

Is é an rud ata i gCrios Bhríde na súgán tuí nó luachra nó féir i riocht fáinne agus cros nó roinnt crosanna air. Thugtaí mórthimpeall go dtí na tithe é Oíche Lá 'le Bríde agus théadh na daoine isteach agus amach tríd chun dídean Bhríde a fháil dóibh féin i rith na bliana. Is i gceantracha áirithe i gCo. na Gaillimhe a bhíodh Gnás Chrios Bhríde ar siúl, ach tráth dá raibh is cosúil go raibh scaipeadh níos fairsinge air. Sa chuntas seo a leanas taispeántar conas a bhíodh an Bhrídeog agus Gnás an Chreasa á gcleachtadh le chéile in Oileáin Árann:

"Lá Fhéil' Bríde (ní san oíche) théadh daoine bochta thart ó theach go teach leis an mBrídeog – páistí scoile thuismitheoirí anásacha a dhéanadh é. D'fhaighidís fataí (níos minice ná tada eile), plúr, tae, agus airgead amantaí. Bhíodh an Bhrídeog chomh mór le cailín 6 nó 7 de bhlianta. Éadaí casta timpeall ar mhaide a bhíodh istigh inti agus gúna dearg taobh amuigh díobh. Uaireanta ba fháinní óir a bhíodh mar shúile inti agus an tsrón, béal agus cluasa daite le peann luaidhe.

Ag na cailíní a bhíodh an Bhrídeog agus na buachaillí ag iompar an chreasa agus na croise.

106

Ag teacht isteach i dteach dóibh 'sé an rann a bhíodh aca:

'Crios, Crios Bríde mo chrios,
crios na ceithre gcros,
Muire a chuaidh ann,
agus Bríd a tháinig as,
Más fearr atá sibh inniu
go mba seacht fearr a bhéas sibh
bliain ó inniu'."

Is as súgán féir a bhíodh an crios Bhríde déanta agus a dhá cheann ceangailte de íochtar na croise. Bhí an crios 12 throigh nó mar sin. Ba ghnás le cuid de na daoine turas a thabhairt: 'sé sin, a dul isteach faoin gcrios trí uaire. Phógaidís an chros agus is í an chos dheas a chuiridís amach ar dtús ar a dhul amach dóibh faoin gcrios. Bhí an chros tuairim 's dhá throigh ar airde agus troigh ar leithead. Bhíodh ribíní nó píosaí éadaigh deasa fuáilte don chros. Ní théann lucht na brídeoige thart le tuairim is 15 bliana (= 1925). Cuireadh suas den ghnás seo." **(IFC 902; 3-5; Seán Ó Maoldomhnaigh, Fearann Choirce, Cill Rónáin, Oileán Árann, Contae na Gaillimhe, a scríobh)**.

Sa chuntas seo ón Inis Mór, tá sé le tuiscint go mbíodh cailíní agus buachaillí ag gabháil thart le chéile ó theach go teach, an bhrídeog á hiompar ag na cailíní agus an crios (le cros mar chuid de) ag na buachaillí. Is i rith an lae a bhíodh an gnás ar siúl anseo, de réir dealraimh.

Ní luann an tuairisc ach cros amháin a bheith ar an gcrios ach sa rann deirtear 'crios na ceithre gcros'. Cros mhór a bhí ann de réir na tuairisce – tuairim dhá throigh ar airde agus troigh amháin ar leithead. "I gcónaí, beagnach, is as tuí a bhíodh na croiseanna déanta." **(Ó Súilleabháin, 1982, 246)**.

Cé go raibh lucht na brídeoige ann chomh maith le lucht an chreasa, tugadh tús áite don chrios ó thaobh rann na tairsí de.

Tugtar le fios sa chuntas faoi leith seo go raibh an gnás simplí go leor. Is cosúil go bpógadh an duine an chros ar dtús, ansin d'ardaíodh sé an crios os a chionn agus ligeadh dó titim anuas timpeall ar a chorp. Ansin, d'ardaíodh sé a chos dheas agus thógadh céim amach as an gcrios agus céim eile leis an gcos chlé go dtí go raibh sé taobh amuigh den chrios ar fad. Dhéanadh sé é seo trí huaire.

Is léir go leagtar an-bhéim ar thimpeallú an duine sa leagan seo de Gnás Chrios Bhríde. Is féidir seanfhoirmle na sé hairde a aithint ann – ciorcal na gceithre hairde agus thuas agus thíos.

Baineann an saghas foirmle seo leis na lúireacha go háirithe mar shiombail den tslí a thimpeallaíonn Dia an duine chun dídean a thabhairt dó. Is cosúil gur rud fíor-ársa atá ann mar, má dhéanaimid athrú ar ord na foirmle i Lúireach Phádraig luíonn sé isteach go seascair le rann atá le fáil i Ghandogya Upanishad na hIndia:

Lúireach Phádraig	Chandogya Upanishad (VII, xxv, 1-2)
Críst issum	(The Infinite) is below,
Críst uasam,	It is above,
Críst im degaid	It is to the west,
Críst reum	It is to the east,
Críst dessum,	It is to the south,
Críst tuathum,	It is to the north.

(Stokes, and Strachan, 1903, 2, 354-358); (Zaehner, 1978, 121).

I Lúireach Mugróin **(Murphy, 1956, 32-34)** faighimid an eochair chun na ceithre hairde a aithint: *Cross Críst sair frim einech Cros Christ siar fri fuined.*

Agus an duine ag guí tugann sé aghaidh ar an oirthear – áit éirí na gréine agus suíomh na haltóra sa séipéal. Mar sin, ciallaíonn "Críost/Dia romham" "Críost/Dia soir uaim" agus "Críost/Dia i mo dhiaidh" "Críost/Dia siar uaim" (in áit luí na gréine) – agus na hairde eile dá réir.

Baineadh úsáid ghnásúil as an bhfoirmle i Riail na gCéilí Dé. Bhíodh sé mar nós ag na manaigh "Deus in adjutorium meum intende, Domine ad adjuvandum me festina" agus "Pater noster ..., " a rá sé huaire agus iad ag tabhairt aghaidh ar na sé hairde:

"Pater sair prius ocus Deus in adiutorium usque festina, ocus da dhí láim suas fria nem ocus airrdhe na croise cot láim ndeiss iarum. Similiter in cech aird sic sís ocus suass. Is hi trá comrair chrábhuid leosum" **(Gwynn, 1927, 68)**.

Léiríonn eachtra i dTáin Bó Cuailgne an t-aitheantas a tugadh don fhoirmle sa tseanaimsir. Tagann Sualtaim, athair Chú Chulainn, go dtí Eamhain Mhacha chun gearán a dhéanamh mar gheall ar an easpa cabhrach a tugadh dá mhac. Bhí air Cúige Uladh a chosaint as a stuaim féin gan cabhair ó éinne, de réir Sualtaim. Idir an dá linn bhí fir á ngonadh, mná á bhfuadach, ba á ngoid. Baineadh an ceann de Shualtaim ach dá ainneoin sin lean an ceann ar aghaidh leis an ngearán céanna. Ansin, labhair an Ri – Conchúr Mac Neasa – agus is é a dúirt:

"Romór bic in núall sa, daig nem úasaind ocus talam ísaind ocus muir immaind immacuaird, acht munu tháeth in firmimint cona frossaib rétland bar dunadgnúis in talman ná mono máe in talam assa thalamchumscugud ná mono thí inn fhairge eithrech ochorgorm for tulmoing inbethad, dober – sa cach bó ocus cach ben díb cá lias ocus cá machad, co'aitte ocus co'adbai fadessin ar mbúaid chatha ocus chomlaind ocus chomraic." **(O'Rahilly, 1967, 111-112)**.

('A little too loud is that cry,' said Conchobor, 'for the sky is above us, the earth beneath us and the sea all around us, but unless the sky with its showers of stars fall upon the surface of the earth or unless the ground burst open in an earthquake, or unless the fishabounding, blue-bordered sea come over the surface of the earth, I shall bring back every cow to its byre and enclosure, every woman to her own abode and dwelling, after victory in battle and combat and contest') **(idem 247)**.

Sa sliocht seo a úsáidtear mar mhionn, tugtar faoi deara an ráiteas mar gheall ar thuas agus thíos agus mórthimpeall i gcomthéacs na cosmeolaíochta – neamh agus talamh agus an mhuir mórthimpeall ar an domhan. Feictear go bhfuil Gnás an Chrios Bhríde taobh istigh de thraidisiún so-aitheanta.

Nuair a dhéantar na rainn éagsúla a scagadh is féidir cúig cinn de théarmaí difriúla a aithint:

1 Cur i láthar an chreasa le linn na hiontrála:
"Seo í isteach an crios, crios na gceithre gcros"
(Ó Súilleabháin, 1982, 247);

2 Luaitear Airchitíp – bhain Críost nó na Naoimh úsáid éigin as an gcrios fadó:
"Crios le ar gineadh Críost, Críostaí a gineadh as"
(Ó Súilleabháin, 1982, 249);
"Crios ar geineadh Críost, Críost a geineadh as **(IFC 902, 50)**;

3 Tugtar cuireadh do bhean an tí turas an chreasa a dhéanamh di féin, nó, a páiste a chur tríd an gcrios:
"Éirigh, a bhean an tí, agus téirigh trínár gcrios"
(Ó Súilleabháin, 1982, 246)
"Éirigh suas, a bhean an tí,
Agus gabh trí huaire amach.
In ainm an Athar agus an Mhic
agus an Spioraid Naoimh. Amen" **(Idem 249)**
"Éirigh suas, a bhean an tí
Is cur do pháiste faoin gcrios" **(Idem, 250)**;

4 Éileamh ar íocaíocht:
"Éirigh suas, a cheann an tí,
Tabhair dúinn ubh na circe buí
Atá thuas i dtóin an tí
Is ná crá Dia do chroí."
(Ó Súilleabháin, 1982, 250).

5 Bua agus beannacht an ghnáis:
"Pé ar bith cé rachaidh trí mo chrios
Go mba seacht fearr a bhéas sé bliain ó inniu" **(Idem, 249)**.

6 Mallacht ar an té nach ngníomhódh an gnás nó nach n-íocfadh táille:
"An té nach rachadh tríd an gcrios
Ní móide go mbeidh sé beo bliain ó inniu." **(Idem, 250)**
"An té nach dtabharfadh pingin dom
Go mbrise an diabhal a chos" **(Idem, 250)**.

Is léir go seasann an rann taobh istigh de phatrúin deasghnátha, mar tá a leithéid le fáil i ngnásanna séasúracha eile. Tá cuid de na míreanna céanna le fáil, mar shampla, i ngnásanna Oíche Shamhna ón Rinn, Contae Phort Láirge.

Bhíodh sé ag na daoine óga a bhíodh ag gabháil timpeall ag séideadh adhairce agus ag bailiú airgid. Thagadh an brollach nó cur i láthair ar dtús:
"Anocht Oíche Shamhna Mhoingfhinne banga."

Ansin thugtaí cuntas ar an ngnás:
"Cailíní óga agus buachaillí óga
Ag dul go dtí na tithe ósta, ..."

Ina dhiaidh sin, d'éilodh siad táille:
"Sea, éirigh i do shuí,
a bhean an tí
Agus sín chugainn deoch,
caidhte mór aráin,
nó leath-dosaen ubh".

Ghuíodh lucht an ghnáis rath na bliana ar mhuintir an tí:
"Pé mar atá sibh óg nó críonna,
Gura seacht bhfearr a bheidh sibh
bliain ó anocht".

Chuirtí mallacht ar an duine nach n-íocfadh an táille:
"Gob coiligh a' d' phriocadh sa tóin agus tú ag dul go hifreann".
(Saol, Deireadh Fómhair, 1991, 5).

B'fhéidir go bhfuil leid, fiú amháin, sa teideal 'Oíche Shamhna Mhoingfhinne banga' d'airchitíp nó bunús ársa na féile. Ba iníon d'Fhidheach na Mumhan í Moingfhinn agus bhí sí pósta le Eochaidh Muigmedón, Rí na Teamhrach. Fuair sí bás Oíche Shamhna toisc go raibh uirthi nimh a d'ullmhaigh sí dá deartháir a ól. Cuireann mná achainíocha uirthi Oíche Shamhna **(Rees, 1976, 165)**.

Tá na míreanna céanna le haithint i ngnásrann 'Callaig' na hAlban, Oíche Challuinn (31 Mí na Nollag). Míníonn sé ar dtús go bhfuil Giollaí na Caille ag an doras chun an chailleach a athnuachan agus go bhfuil an rud sin ann ó thráth na sinsear. Tá cuntas ar ghníomhú an ghnáis. Guítear beannacht ar an teach ansin, agus mar is gnáth, éilítear táille. Mura bhfuil sé sin le fáil acu cuireann siad mallacht ar lucht an tí. **(CG, 1, 148-157).**

Is cosúil go bhfuil an chuid den rann a bhaineann leis an airchitíp nó bunús miotaseolaíochta truaillithe go maith. Ag an am céanna, tá ortha againn ón mbéaloideas a chaitheann léas éigin ar bhrí bhunúsach an chuid seo den rann. Baineann an ortha le bean atá i gcontúirt i leaba luí seoil:

(An Bhean?):   *"Go mba Crios Mhuire mo crios,*
               Crios na gceithre gcros;
               Crios le'n a geineamh Críost,
               Críost le n-a geineamh as.

(Críost?):   *Fóir ar an mnaoi, a Mhuire,*
               atá in airticle an bháis.

(Muire?):   *Fóir féin, a Mhic,*
               ós ar do láimh atá baiste,
               tabhair don leanbh a's an bhean
               a bheith slán.

(Críost?):   *"Beir do leanbh, a bhean,*
               mar rug Anna Muire,
               mar rug Muire Dia,
               mar rug Aire (Éilís) Naomh Eoin Baiste
               gan marach, gan daille,
               gan easpa coise ná láimhe.
               In ainm na Tríonóide Ró-Naofa
               an Athar, an Mhic
               agus an Spioraid Naoimh. Amen."
               (Béal, 1934, 270).

Dealraíonn sé gur bhain an crios le Muire ar an gcéad dul síos agus go bhfuil tagairt le tuiscint do bhreith Chríost:
"... agus rug sí a céadghin mic, agus chuir i gcrios ceangail é, agus shín i máinséar é." **(Lúcás, 2;7).**

Is cosúil, mar sin, gur bhain an gnás le sláinte na máthar agus a linbh ar dtús agus gur leathnaigh sé amach go dtí an líon tí ar fad. Nuair a chuirtear san áireamh an traidisiún a deir go raibh Bríd i láthair mar bhean ghlúine ag breith Chríost agus gur thug sí cabhair agus cúnamh do Mhuire, ní hansa an t-aistriú ó Mhuire go Bríd a thuiscint **(McNeill, 1959, 22)**.

Dealraíonn sé, mar sin, gur gnás breithe, dáirire, atá i nGnás Chrios Bhríde agus gur aithris ar bhreith linbh atá á cur i láthair. Dá bhrí sin, sheasfadh dul tríd an gcrios do thuras an linbh ón mbroinn go dtí solas an lae agus ní bhainfeadh an gnás ach le mná amháin.

Más fíor an teoiric seo, is sampla maith é den draíocht aithrise cé go bhfuil sé lánChríostaí san fhoirm ina bhfuil sé faoi láthair.

Tá cuntas suimiúil againn ó Chontae. Dhún na nGall i dtaobh cleachtais eile atá cosúil, go pointe áirithe, le gnás an chreasa. Ní súgán ná téad luachra a bhí i gceist sa chás seo, in aon chor, ach saileog a bhí ag fás. Rinneadh an tsaileog a scoilteadh chun saghas creasa a dhéanamh agus é mór go leor chun leanbh le maidhm sheicne a chur tríd.

I ndiaidh an leanbh a chur isteach is amach tríd an gcrios seo, cuireadh bindealán timpeall scoilt na saileoige. Le himeacht aimsire, d'fhásfadh dhá thaobh na saileoige go dlúth lena chéile arís i dtreo go mbeidís fite fuaite lena chéile agus an ghoin leigheasta.

De réir chreideamh na ndaoine, tharlódh an rud chéanna i gcás an linbh, thiocfadh dhá thaobh na scoilte le chéile i ndlúthcheangal agus leigheasfaí an galar.

Sa chás áirithe seo, bhí cúram an linbh ar bhaintreach agus ar a hiníon agus cé gur bhain siad úsáid as gnáthchóir leighis a linne níor thréig siad an sean-nós ach oiread:

"On May morning before sunrise they took 'wee Harry' to the top of the hill behind their house. 'Edlim', I think, where in a 'shough' some willows grew. With the thumbnail – no knife must be used – the old women split a willow-wand sufficiently to allow the child to be passed through the hoop made by pressing the sides apart. These

preparations made, they awaited the rising of the sun, and as the golden glory crept upward they passed the child, facing it, three times 'in the three Holy Names' through the circle formed by the split willow, which was then carefully bound together with scarlet wool. As the young wood knit together the child's wound would heal – so they firmly believed" **(Béal. 3,1932,332)**.

Sa chuntas breá seo, feictear cé chomh gnásúil is a bhí an cleachtas agus an-bhéim leagtha ar an tráth cuí – éirí na gréine maidin lae Bealtaine – an tráth céanna a bhain le ní i ndrúcht na Bealtaine **(Danaher, 1972, 108)**, le bailiú 'scoth an tobair'/'Barra-bua an tobair' agus le gearradh shlat chaorthainn. Bhain an tráth seo le breith isteach Bhrat Bhríde, Lá 'le Bríde, chomh maith.

Tá difríocht mhór le haithint idir an dá ghnás, áfach. Cé go bhfuil an idé de dhul trí chrios chun tosaigh sa dá chás, is cúrsaí leighis níos mó ná cúrsaí cosanta atá i gceist sa cheann deireanach seo.

I gcuntas ó Ros Muc, Contae na Gaillimhe, deirtear ga raibh sé mar nós ann Crios Bhríde a chur timpeall ar dhoras an sciobóil agus na beithígh a thiomáint tríd chun rath na bliana a chur orthu **(IFC 902; 32)**.

Caibidil a Ceathair Déag

TOIBREACHA BEANNAITHE BHRÍDE

Sa lá atá inniu ann, is cuid thábhachtach de chultas Bhríde na toibreacha beannaithe a bhaineann léi ar fud na tíre. Is beag contae in Éirinn gan tobar amháin ar a laghad tiomnaithe di, agus, gan amhras, tá faillí déanta in a lán díobh a bhíodh go beo bríomhar mar ionaid thurais agus cráifeachta tráth dá raibh. Bhain clú agus cáil le roinnt díobh, ina measc, go háirithe Dabhach Bhríde, Lios Ceannúir, Contae an Chláir; Sruth Bhríde, i bhFochairt in aice le Dún Dealgan, Contae Lú, agus Tobar Bhríde, in Uachtarach, in aice le Béal an Átha Móir, Contae Liatroma.

Tá Dabhach Bhríde suite in aice le hAillte Mhothair i ndúiche fhíorálainn ó thaobh radharcra de, agus ar chúl an tobair, ar leibhéal níos airde, tá reilig ársa le feiceáil ina bhfuil na Brianaigh, flatha Dhál gCais, curtha. Tá Cros mhór anseo agus cosán timpeall uirthi agus is san Ula Uachtarach seo a dhéantar cuid de thuras an tobair. Tá an tobar féin taobh istigh de theachín agus os a chomhair amach tá an Ula Íochtarach le dealbh Bhríde agus cosán ina timpeall.

115

Baineann draíocht éigin leis an áit rúnda seo lena fhásra tiubh agus monabhar an tsrutha sa chúlra.

Thagadh oilithrigh chun an tobair chun an turas a dhéanamh ó gach aird de Chontae an Chláir agus ó Árainn chomh maith. Bhíodh ceithre lá leagtha síos go háirithe: Lá 'le Bríde, 1 Feabhra; 'Garland Saturday' agus 'Garland Sunday' 'sé sin le rá Satharn agus Domhnach Chrom Dubh (an Domhnach deireanach i Mí Iúil agus a bhigil), agus Lá 'le Muire san Fhómhar (15 Lúnasa) **(IFC 901; 51)**. Ba é Domhnach Chrom Dubh an ócáid mhór agus chaitheadh na hÁrannaigh agus muintir an Chláir an oíche ar fad ag an tobar.

I gcuntas amháin cuireann an tuairisceoir in iúl gur chuir gné áirithe den nós seo iontas air:

"They left home on Saturday, held an all-night vigil at the Blessed Well and arrived home on Sunday. The strange thing about it was that those people didn't mind missing Mass on that Sunday as if the 'round' was more important." **(IFC 901; 14; Micheál De Bláca, Dún Beag, Contae an Chláir, a scríobh).**

Bhíodh coinnle ar lasadh timpeall an tobair **(IFC 901; 79)** agus Oíche Fhéile Bhríde féin bhíodh coinnle ar lasadh ar fud an pharóiste ar fad agus sna paróistí mórthimpeall **(IFC 901; 54)**.

Bhíodh clú agus cáil ar an áit mar ionad leighis agus bhíodh maidí croise le feiceáil ann mar chomhartha gur leigheasadh daoine ann trí idirghuí Bhríde **(IFC 901; 54)**. Chum file seachránach rann agus é ag cur síos ar a chuairt go dtí an áit:

"On a Saint Brigid's Eve, as the night fell, my mother and I went to Saint Brigid's Well, where the candles do burn and the great walls do shine on the graves of the dead and the vaults of O'Brien.' **(IFC 901; 55-56)**.

Tá an t-ádh linn go bhfuil cur síos ar dheasghnáth an turais againn ó Phadraig Mag Fhloinn. Fuair sé an t-eolas ó mhuintir Pharóiste Chill Fhionnúrach agus is léir ón tuairisc go raibh míreanna an ghnáis leagtha amach go cruinn beacht, in ord agus in eagar.

Chonaic mé bileog ann i 1993 agus treoracha ann don oilithreach ag miniú dó conas an turas a dhéanamh. Níor tháinig aon athrú mór ar an ngnás trí na blianta ach amháin go bhfuil laghdú beag ar uimhir na bpaidreacha a deirtear ag gabháil timpeall – Pater, Ave agus Gloria amháin ag gach timpeall anois in ionad 5 cinn fadó – agus aon Ave amháin in ionad Pater, Ave agus Gloria ag gach cuairt na Croise. Chomh maith leis sin, ní hiondúil anois an turas a dhéanamh cosnochtaithe.

Gnás an Turais (IFC 901; 51-53)

Brollach:
Téigh ar do ghlúine sa tearmann os comhair dhealbh Bhríde agus cuir do rún in iúl:
"Go mbeannaí Íosa duit, a Bhrighid Naofa, go mbeannaí Muire duit is go mbeannaím féin duit; Chugat a thána' mé ag gearán mo scéil chugat agus d'iarraidh cabhair in onóir Dé ort" **(IFC 901; 39)**.

San Ula Íochtarach:
Téigh ar do ghlúine agus abair 5 Pater, 5 Ave, 5 Gloria.

Éirigh agus déan an tIompú deiseal timpeall na deilbhe agus an Chré á rá agat

Déan é seo faoi chúig.

Téigh ar do ghlúine ag an Tobar.

San Ula Uachtarach:
Téigh ar do ghlúine agus abair 5 Pater, 5 Ave, 5 Gloria.

Éirigh agus déan an tIompú deiseal ar an gcosán fada agus an Chré á rá agat.

Déan é seo faoi chúig.

Ag an gCros:
Déan an tIompú deiseal timpeall na Croise agus 1 Pater, 1 Ave, 1 Gloria, á rá agat.

Póg an Chros.

Déan é seo faoi chúig.

Téigh go dtí an Tobar agus ól uisce as faoi thrí.

Téigh ar do ghlúine agus cuir do rún in iúl arís.

Is soiléir go bhfuil cuma bhreá chuimsitheach ar an ngnás seo agus é leagtha amach i mbealach chomh healaíonta le gnás liotúirgeach sa Missale Romanum.

Mar Bhrollach, deireann an duine Rann an Tobair. Tá sé sin coitianta go leor agus faightear é in áiteanna éagsúla agus níl le déanamh ach an t-ainm a athrú de réir na hócáide.

Chun críoch a chur leis an ngnás téann an móidín go dtí an tobar agus ólann sé as faoi thrí. In a lán áiteanna bíonn cupán nó soitheach éigin ag an tobar agus baineann an duine feidhm as sin chun an t-uisce a ól. Tógtar trí bholgam uisce in ainm an Athar agus an Mhic agus an Spioraid Naoimh. **(Logan, 1980, 34)**.

Taobh istigh den fhráma sin – an Rann tosaigh ar dtús agus ól an uisce ag an deireadh – tarlaíonn corp an ghnáis, 'sé sin le rá timpeallú na nUlacha agus na Croise. Roimh gach timpeallú Ula déantar sléachtadh agus ag deireadh gach timpeallú den Chrois pógtar an Chros.

Athraíonn na paidreacha a ghabhann leis an Iompú Deiseal de réir na háite agus tá cuid mhaith saoirse ag baint leo. Is cosúil gur rud cuíosach nua-aimseartha iad agus b'fhéidir nach raibh ann ar dtús ach an tIompú Deiseal agus é á dhéanamh faoi chiúnas.

De réir an traidisiúin, tá eascann i dtobar Dhabhach Bhríde agus taispeánann sí í féin don duine a mbeidh a ghuí le fáil aige. **(IFC 901; 53)**.

Ní féidir uisce an tobair a fhiuchadh agus uaireanta déanann na móidíní an turas gach lá ar feadh naoi lá. **(IFC 901; 38-39)**.

Déantar an turas go han-mhinic i rith na bliana **(IFC 901; 98)**. Má dhéantar an turas taobh amuigh de na ceithre lá gnásúla, áfach, caithfear é a dhéanamh trí huaire chun toradh na hachainí a fháil **(IFC 901; 53)**.

Leagtar ofrálacha ag an tobar – rudaí beaga mar shampla, pictiúir bheaga, paidríní, pinn, cíora, boinn, bioráin agus araile. Is cosúil gur ofrálacha móidíneacha atá sna pictiúir mhóra agus na deilbheacha móra atá ann, chomh maith.

Léiríonn Máire MacNéill traidisiún na dúiche sin i dtaobh Fhéile Lúnasa – traidisiún atá thar a bheith casta agus éalaitheach. Buailimid le Donn Duimhche/Donn Mac Cromáin agus baint aige leis an gcósta ar an taobh theas de thrá Lios Ceannúir, nó, de réir tuairime eile, gar d'Inis Diomáin. Chomh maith leis sin, tá cosúlachtaí áirithe le haithint idir an Naomh áitiúil – Mac Creiche, a bhfuil iarsmaí a chille le feiceáil fós idir An Leacht agus Lios Ceannúir, agus Donn. Bhíodh Domhnach Chrom Dubh á cheiliúradh le mórspleodar ar Shliabh Callain ar an taobh thoirtheas de Dhabhach Bhríde. Seasann suíomh thobar Bhríde taobh istigh de cheantar ina dtugtaí mór-aitheantas d'Fhéile Lúnasa **(1982, 198-200, 284-285)**. Is suimiúil an rud é go bhfuil an dara lá de Lúnasa, nó an t-aonú lá déag, de réir tuairime eile, mar lá féile ag Mac Creiche **(idem 282)**.

In áiteanna eile seachas Dabhach Bhríde i gContae an Chláir, bhíodh an turas ar an gcúigiú lá déag de Lúnasa, Lá Fhéile Muire Mór sa bhFómhar. Is deacair a rá cé chomh hársa atá an cleachtas seo nó an bhfuil tionchar na Cléire le haithint ann. Ní féidir a bheith cinnte ina leithéid de chás gurbh aistriú ó Fhéile Lúnasa a bhí ann:

"The heritage of ancient Lughnasa is to be found in its direct descendants, the assemblies held on certain Sundays in July or on August 12th, but principally on either the Sunday before or the Sunday after August 1st." **(MacNéill, 1982, 25)**.

Bhíodh patrún ag Tobar Bhríde, Castlegar, Co. na Gaillimhe, ar an gcéad Domhnach de Lúnasa (MacNéill, 1982, 630) agus déantar an turas fós ag Tobar Bhríde i gContae Ros Comáin, ar an Domhnach deireanach d'Iúil **(Logan, 1980, 31)**.

Ba mhór an bhuairt agus an crá croí do lanúineacha an tseisce riamh anall, agus ina taobh san, deir an Dochtúir Logan go comhbhách:

"It is quite likely that people prayed for children at many holy wells but did not speak openly about it. Recently (c. 1980) I learned of a statue to Our Lady, which was put on a tree near Tobar Mhuire near Shankill Cross in Co. Roscommon. This was done some years ago by a man who had visited the well and prayed for children, and put up the statue in gratitude to Our Lady when his prayer had been answered" **(1980, 82).**

Luann Janet and Colin Bord cuntas atá thar a bheith suimiúil agus a bhaineann leis an bhfadhb seo. Is cur síos luachmhar é ar an ngnás a mbaintí úsáid as ag an tobar, fear ó Aberdeen a chonaic an gnás ar siúl c. 1850. Bhí sé ina bhuachail óg ag an am sin agus bhí sé i bhfolach in aice leis an tobar agus é ag féachaint ar na mná:

"There were four o' them, the three barren women and the auld auld wife, and they came into the hollow wi' many's a look over their shoulders in case they'd been seen. The auld wife went doun on her knees on the flat stone at the side of the spring and directed the women. First they took off their boots, and syne they took of their hose; and syne they rolled up their skirts and their petticoats till their wames (abdomens) were bare. The auld wife gave them the sign to step round her and away they went, one after the other, wi' the sun, round the spring, each one holding up her coats like she was holding herself to the sun. As each one came anent her, the auld wife took up the water in her hands and threw it on their wames. Never a one cried out at the cold o' the water and never a word was spoken. Three times round they went. The auld wife made a sign to them. They dropped their coats to their feet again, syne they opened their dress frae the neck and slipped it off their soulders so that their paps sprang out. The auld wife gave them another sign. They went doun on their knees ufore her, across the spring, and she took up the water in her hands again, skirpit on their paps, three times the three. Then the auld wife rose and the three barren women rose. The put on their claes again and drew their shawls about their faces and left the hollow without a word spoken and scattered across the muir for hame." **(1985, 36).**

Cuireann an cuntas seo míreanna áirithe traidisiúnta ghnás an tobair bheannaithe in iúl go soiléir. Clúdaíonn na mná iad féin i dtost rúnda ag teacht agus ag imeacht agus le linn an ghnáis féin. Rinneadh an tIompú Deiseal faoi thrí agus is cosúil nach raibh aon phaidir le rá ag na mná agus é á dhéanamh acu, ach ciúnas iomlán. Is é an rud is suntasaí ná an tseanbhean a bhí i gceannas ar an ngnás. Bhain sí úsáid as leacht chun dul ar a glúine gar don tobar i dtreo go mbeadh sí in ann an t-uisce a spréachadh ar na mná.

Ag toibreacha éagsúla ar fud na tíre is fíor go bhfuil cloch le fáil in aice an tobair agus rian ghlúine an Naoimh uirthi. Tá an saghas seo cloiche coitianta go leor ag na toibreacha beannaithe **(Logan; 1980, 98)**. I gcás ina bhfuil cloch ghlún mar sin ar thaobh an tobair is féidir tuairimiú gur bhain sí le trealamh gnásúil na háite agus go mbaintí úsáid aisti i modh éigin cosúil leis an gcás thuasluaite. An amhlaidh go bhfuil nasc éigin idir clocha na nglún, an nós a bhíodh ann luachair/tuí a chur ar an tairseach chun go rachadh Bríd ar a glúine ann, an fhoirmle "Téigí ar bhur nglúine" ag Gnás na Tairsí agus bean ghlúine? An foilsiú é den bhandia i riochta difriúla, an tseanbhean ag an tobar in Aberdeenshire agus an t-iasc a bhíodh mar chomhartha leighis i dtoibreacha eile?

Tá cuntas breá eile againn ar Thobar Bhríde cáiliúil eile in Uachtar Achaidh in aice le Béal an Átha Mhóir i gContae. Liatroma. Cosúil le cás Dhabhach Bhríde i gContae an Chláir, caithfidh an móidín chur chun bóthair agus rún daingean aige an turas a dhéanamh gan aon seachrán ar an tslí. Déantar an turas ar an gcéad lá de Mhí Feabhra **(IFC 905; 167)**.

Gnás an Turais

1 Abair an Paidrín Páirteach faoi thrí (= cúig dheichniúr déag) ar do bhealach ó do theach go dtí geata na reilige;

2 Ag an gcéim chloiche ag dul isteach sa tseanreilig, téigh ar do ghlúine agus abair 5 Pater agus 5 Ave le hanamacha na marbh atá faoin bhfód ann;

3 Ansin, déan an tIompú Deiseal faoi thrí timpeall an bhile caorthainn agus Pater, Ave agus Credo á rá agat uair amháin;

4 Déan an rud céanna ag an mbile atá ag íochtar na reilige;

5 Déan an rud céanna ag an mbile atá ag taobh na reilige;

6 Téigh go dtí an gallán ar a bhfuil ceann Bhríde greanta agus abair 5 Pater agus 5 Ave ann;

7 Tar amach ar an mbóthar ansin agus abair 5 dheichniúr den Phaidrín Páirteach;

8 Téigh ar ais sa reilig agus déan an tIompú Deiseal arís timpeall na dtrí bhile díreach faoi mar atá déanta agat cheana féin;

9 Tar amach ar an mbóthar arís agus abair 5 dheichniúr den Phaidrín Páirteach;

10 Téigh isteach sa reilig arís agus déan an tIompú Deiseal timpeall na dtrí bhile díreach faoi mar atá déanta agat cheana féin;

11 Tar amach ar an mbóthar arís agus abair 5 dheichniúr den Phaidrín Páirteach;

12 Téigh isteach sa reilig arís agus déan an tIompú Deiseal timpeall na dtrí bhile díreach faoi mar atá déanta agat cheana féin;

13 Ansin, téigh go dtí Tobar Bhríde agus déan an tIompú Deiseal faoi thrí timpeall an tobair agus deichniúr den Phaidrín Páirteach, nó paidreacha eile, á rá agat **(IFC 905; 167-168)**.

Tá leigheas do thinneas fiacaile in Uachtar Achaidh agus tá traidisiún ann go raibh an tobar níos cóngaraí don reilig tráth, ach gur mhill duine naimhdeach é agus gur bhrúcht sé amach arís san áit ina bhfuil sé anois **(Logan, 1980, 85, 22-23)**. Tá traidisiún an tobair sho-aistrithe go forleathan **(Idem 67)**.

Maidir le hofráil agus úsáid méaróige ag tobar beannaithe tá sampla maith againn i dTobar Éinde i mBearna. Nuair a bhíonn uimhir na n-iompaithe go mór bíonn sé deacair áireamh a choimeád orthu, ach tá seift chun an fhadhb seo a réiteach mar a léirítear sa chuntas: "Rachfá timpeall an tobair seacht n-uaire. Bheadh seacht méaróg i do láimh. Chaithfeá ceann acu isteach sa tobar gach turas." (Béal. 48-49, 1980-1981, 149). Nuair atá a lámh folamh tá an uimhir cheart d'iompaithe déanta ag an móidín.

Tá nasc le feiceáil idir nós na Brídeoige agus an Tobar Beannaithe sa chleachtas a bhíodh i bhfeidhm i gCill Orglan, Contae. Chiarraí. Chuireadh bean a' tí biorán sa dealbh agus d'fhágadh sí ann é (IFC 899; 27) faoi mar a chaitheadh móidín biorán isteach sa tobar.

Is deacair a rá an ofráil í an cheirt a fhágtar ar an tor nó an bhfuil ciall eile léi. Tá a chuma ar an scéal go mbaineann an nós níos dlúithe le haistriú an ghalair ón móidín go dtí an tor trí mheán an phíosa éadaigh a bhí i dteagmháil lena chorp ná le hofráil shimplí.

Uaireanta thumtaí píosa éadaigh sa tobar agus dhéantaí an ball tinn a chuimilt leis. Ansin, chuirtí an píosa éadaigh ar an tor (Logan, 1980, 116). Níl sé ceart do dhuine ceirt a thógáil ón tor ar eagla go dtógfadh sé an galar a d'fhág an t-othar inti. Ag Tobar Ghobnatan i mBaile Bhúirne, Contae Chorcaí, buailimid leis an rann:

"Ar impí an Tiarna agus Naoimh Ghobnatan mo chuid tinnis d'fhágaint anso." (JCHAS, 1952, 60).

Tagaimid anois go dtí an tríú Tobar Bhríde a bhfuil clú agus cáil air sa lá atá inniu ann mar áit chráifeachta agus oilithreachta, 'sé sin le rá 'Sruth Bhríde' i bhFochairt, cúpla míle ó Dhún Dealgan, Contae Lú. Tá difríocht mhór le haireachtáil idir an suíomh seo agus na háiteanna eile thuasluaite ar shlite éagsúla.

Ar an gcéad dul síos, tá traidisiún láidir ann a deir gur rugadh Naomh Bríd i bhFochairt (IFC 905; 108). Rinne Bríd tairngreacht go mbeadh talamh an cheantair an-mhaith le haghaidh bainne agus ime (IFC 905; 63).

Is féidir an suíomh naofa seo a dheighilt i ndá chuid – an Reilig agus Sruth Bhríde. Sa lá atá inniu ann is leis an Sruth is mó a bhaineann an turas, ach bhí tábhacht faoi leith ag baint leis an reilig, chomh maith, tráth dá raibh.

Sa reilig ársa ar bharr an chnoic tá fothrach seanséipéil le feiceáil ar a dtugtar 'Teampall Bhríde na hAirde Móire'. Tá Tobar Bhríde lena dhíon cloiche agus céimeanna gar don séipéal chomh maith le 'Cloch Bhríde'.

Bhíodh cloigeann ag an tobar fadó agus bhaintí úsáid as mar shoitheach chun ól as faoi thrí chun leigheas a fháil ar thinneas fiacaile **(IFC 905; 57-58)**. Sa chuntas a thugann Stanley Howard ar an áit, deir sé go raibh ceirteacha agus paidríní le feiceáil ar na crainn ar gach taobh den tobar **(JRSAI, 1906. 73)**.

Tá cur síos le fáil ar an gcuid den turas a dhéantai fadó sa reilig féin ó Mary Daly. Chonaic sí an seanghnás á chleachtadh agus chuala sí muintir na háite ag trácht air.

Dhéantaí an turas cosnochtaithe. Théadh an móidín timpeall na mainistreach (an séipéal) agus ag gach cúinne de na ceithre cúinní deireadh sé deichniúr den phaidrín.

Ansin, théadh an móidín timpeall na cloiche faoi naoi, ar a ghlúine nochta, agus deichniúr den phaidrín á rá aige ag gach timpeall. Uaireanta bhíodh na glúine ag cur fola de bharr ghairbhe na cloiche sin.

Ansin, théadh duine timpeall cloiche eile – 'Cloch na bhFaithní' -faoi cheathair, agus deichniúr den phaidrín á rá aige ag gach timpeallú.

Agus an méid sin déanta aige, théadh an móidín go dtí Sruth Bhríde chun an chuid eile den turas a dhéanamh. Deirtí paidreacha ar an mbóthar ón reilig go dtí Sruth Bhríde agus ba chuid den turas an t-aistear. Thógadh an turas go léir suas le ceithre uair a chloig sa tseanaimsir **(IFC 905; 54-55)**.

Tá an chuma air go bhfuil an chuid seo den ghnás a dhéantaí sa reilig dulta i léig. Is ag Sruth Bhríde, tamall gearr ón reilig, a dhéantar an turas faoi láthair, don chuid is mó de, ar aon nós.

Ag an bpointe seo, caithfear a chur san áireamh go bhfuil forbairt an-mhór tagtha ar Thuras Fhochairte ón mbliain 1933 anuas nuair a thóg cléir na háite scrín shuntasach in onóir Bhríde in aice leis an sruthán.

Tá altóir taobh istigh den scrín agus dealbh bhreá de Bhríd os a cionn. Tá sraith mhór chéimeanna ag dul suas go dtí an cosán os comhair na scríne agus stáisiúin Thuras na Croise ar gach taobh den chosán. Níos déanaí, cuireadh na Stáisiúin in aice an tsrutháin. Tógadh Calbhaire agus 'Fochla Lourdes' gar don sruthán chomh maith agus tháinig forbairtí eile chun cinn níos déanaí fós.

Is suimiúil an rud é nach mbaineann an fhorbairt nua chléiriúil mórán leis an reilig féin ach leis an limistéar taobh amuigh di. Sa chomhthéacs seo, b'fhéidir go bhfuil tionchar áirithe le haithint ón méid a dúirt Stanley Howard:

"I may add that neither priest nor parson has any control over the churchyard or anything in it; it belongs entirely to the people of the place, and nothing can be touched in it without their sanction. This is probably a curious survival of the tribal system, ..." **(JRSAI, 1906, 73)**.

Sa bhliain 1934 roghnaigh an Cairdinéal Mac Ruairí Fochairt mar Scrín Náisiúnta Bhríde don tír ar fad agus tharla an chéad Oilithreacht Náisiúnta ar an gcéad Domhnach d'Iúil 1934 le 10,000 duine i láthair ó cheithre cúigí na hÉireann. Chomh maith leis an lá seo – an chéad Domhnach d'Iúil – déanann cuid mhaith daoine an turas ar Lá 'le Bríde féin agus ar Lá 'le Muire san Fhómhar (15 Lúnasa) **(Carey, 1982, 14-17)**.

Tugann bileog oifigiúil na scríne an treoir seo a leanas don mhóidín. Sna leaganacha difriúla tá miondifríochtaí le feiceáil ach déantar iarracht iontu an rud cléiriúil agus an rud dúchasach a chur le chéile:

STATIONS

At St. Brigid's Shrine, Faughart

Preliminaries

On entering the grounds, the Pilgrim says one Our Father, Hail Mary and Creed. The Pilgrim may then remove shoes and stockings, if wishing to carry out the Stations barefoot.

a   Say Act of Contrition at foot of steps.
b   Pater, Ave, Creed on the top steps.
c   Say 5 Our Fathers and 5 Hail Marys at Shrine.

Traditional Stations – Part One

Descend to Fountain and making the Sign of the Cross either drink the water for an internal malady or bathe the part affected for external malady.

1   Say Our Father, Hail Mary, Creed on Near Bank.
2   Repeat these prayers on Far Bank.
3   Repeat again on Flat Stone in Centre of Stream
4   Make Ten Circuits of Mound on which the Cross Stands, reciting one decade of the Rosary.

Stations of the Cross

Follow the Stream to the lower area, making the Stations of the Cross en route.

Traditional Stations – Part Two

5   Say Our Father, Hail Mary, Creed on Near Bank
6   Repeat these prayers at **Hoof Marked Stone.**
7   Repeat again at **Knee Stone.**
8   Again repeat at **Waist Stone.**
9   Make ten circuits **of Eye Stone**, reciting one decade of the Rosary.
10 Kneel at **Head Stone** and say One Hail Mary.

BRAT BRÍDE ORAINN

San Ord seo is léir go bhfuil míreanna ó fhoinsí difriúla meascaithe le chéile – baineann cuid acu leis an ngnás dúchasach agus cuid eile le hOrd na Cléire. Gan amhras, tá tionchar na cléire le feiceáil go tréan san áit ó rinneadh Scrín Náisiúnta Bhríde di, ach ag an am céanna, ní h-ionann sin is a rá gur múchadh an gnás traidisiúnta ann.

Baineann na míreanna a.b.c. agus Turas na Croise le hord na cléire agus le cráifeacht ghinearálta na hEaglaise, go háirithe.

In a, b, c, b'fhéidir go bhfuil tionchar thús gnáis an Aifrinn Threintigh le haithint. Tá parailéal idir gníomh na haithrí ag bun na gcéimeamna agus na paidreacha ag bun na haltóra; tá an Pater, Ave agus Cré ar aon dul leis an ortha a bhíodh á rá ag an sagart agus é ag dul suas na céimeanna.

Is féidir a bheith amhrasach faoi dheich dtimpeallú in Uimhir a Cheathair agus Uimhir a Naoi. Is cosúil gur naoi dtimpeallú a bhíodh ann sna cásanna seo ar dtús – uimhir a luaitear níos luaithe i gcomhthéacs Chloch na Reilige **(IFC 905; 55)**.

"The number nine figures so prominently in Celtic Tradition that it has been described as the 'northern counterpart of the sacred seven' of Near Eastern Cultures." **(Rees, 1976, 55)**.

Déantar naoi dtimpeallú ag 'Turas na Duimhche' ag 'Tobar na Croise', ag 'Tobar Ghobnait', ag 'Tobar Mhichíl', ag 'Tobar Mhuire' agus ag 'Tobar Fhionáin' – iad go léir i gCorca Dhuibhne, Contae Chiarraí **(JRSAI, 1960, 71-76)**.

Dealraíonn sé, mar sin, gur imeacht ón traidisiún is ea an deich dtimpeallú agus gur iarracht atá ann, gan amhras, uimhir na gcuairteanna a bheith ar aon dul le huimhir na nAvéanna sa deichniúr. Ní tharlódh a leithéid agus naoi méaróg a bheith ag an móidín chun an uimhir cheart cuairteanna a áireamh.

Sa bhileog threorach luaitear sé chloch: An Chloch Leathan – i lar an i tsrutháin, Cloch na Crúibe, Cloch na nGlún, Cloch na Coime, Cloch na Súile agus Cloch an Chinn.

Ní bhaineann cuid de na tuairiscí le Cloch an Chinn ná le Cloch na Coime ach tá an-tóir ar Chloch na nGlún, Cloch na Súile agus Cloch na Crúibe toisc go mbaineann na clocha seo le heachtra i mbeatha Bhríde de réir thraidisiún na háite.

De réir an scéil, bhí rí áirithe ag iarraidh ar Bhríd é a phósadh, ach dhiúltaigh sí dó. Ní ghlacfadh sé leis an diúltú, áfach, agus bhí ar Bhríd teitheadh uaidh. Lean sé í ar mhuin eich agus é ar deargbhuile. Tháinig sé suas léi ag Sruth Fhochairte. Chuaigh sí ar a glúine ar chloch ar thaobh an tsrutháin agus thosaigh ag guí. Tá rian a glún le feiceáil fós ar Chloch na nGlún. Ansin, tharraing sí amach ceann dá súile agus chaith uaithi í. Thit an tsúil anuas ar chloch agus tá a rian sin fós ar Chloch na Súile.

Ag an bpointe seo, bhí Bríd chomh gránna sin nar aithin an rí in aon chor í nuair a casadh uirthi é. D'iompaigh sé thart agus d'imigh leis. Ach d'fág an capall rian a chrúibe ar chloch a bhí ann agus sin é Cloch na Crúibe go dtí an lá atá inniu ann **(IFC 905; 47-48)**.

Tá meon an dinnseanchais le haireachteáil sa scéal seo cé go bhfuil na háiteanna an-ghar dá chéile. Marcálann na clocha míreanna difriúla na heachtra seo i mbeatha Bhríde go fisiciúil réalach i slí a théann i bhfeidhm ar na hoilithrigh ó aois go haois. Is féidir an feiniméan céanna a aithint i neimheadh Ghobnatan i mBaile Bhúirne i gContae Chorcaí, ina bhfuil eachtraí an Naoimh tugtha chun cuimhne trí logainmneacha – 'An Cumar Bodhar', mar shampla.

Tharla go raibh duine de mhná rialta Ghobnatan tinn. D'iarr Gobnait ar Dhia ciúnas doimhin a chur ar an ngleann seo – rud a tharla – agus chuir sí an bhean rialta tinn chun cónaí ann chun sos a thabhairt di ó rírá na mainistreach.

Mar a gcéanna le 'Goirtín na Plá', ar theorainn an pharóiste. San áit seo chuir Gobnait stad leis an bplá a bhí ag déanamh ar Bhaile Bhúirne **(JCHAS, 1952, 57-59)**.

Baineann na clocha gnásúla i bhFochairt le teitheadh Bhríde ó namhaid cealgach a bhí ag iarraidh í a fhuadach. Tá an téama seo le feiceáil i scéalta i dtaobh na Maighdine Muire agus Naomh eile nach í i gcomhcheangal le míorúilt arbhair.

Tá scéal an fhuadaigh agus an fhómhair thobainn go forleathan i mbéaloideas agus in ealaín na hEorpa. Tá baint faoi leith aige le Mí Feabhra – tráth treafa agus síolchuir agus, gan amhras, tá macalla ann de thuras an bhandé trí na páirceanna chun a nglanadh agus a dtorthúlacht a chinntiú.

Sa ghnáthleagan den scéal, tá Muire, Iósaef agus an Leanbh ag teitheadh ó shaighdiúirí Hearóid. Téann siad trí pháirc ina bhfuil feirmeoir ag cur arbhair. Lá arna mhárach, nuair a éiríonn an feirmeoir feiceann sé go bhfuil an t-arbhar a chuir sé sa chré inné fásta, thar oíche, agus lánaibí. Téann sé amach chun an barr a bhaint agus lom láithreach tagann na saighdiúirí an tslí agus cuireann siad ceist air an bhfaca sé bean agus leanbh ag gabháil thart. Deir sé go bhfaca agus síol an bhairr á chur aige. Ceapann na saighdiúirí go bhfuil siad ró-dhéanach ar fad. Iompaíonn siad thart agus téann abhaile agus imíonn an teaghlach naofa slán. Tá eachtra den saghas céanna curtha i leith na Naomh Radegund, Macrine, Walpurga agus Milburga (Berger, 1988, 90).

Maidir le Naomh Macrine, bhí sí ag teitheadh ón bhfathach Gargantua. Mar is gnáth sa saghas seo eachtra bhuail sí le feirmeoirí a bhí ag cur coirce. Lá arna mhárach bhí an coirce aibí agus bhi na feirmeoirí á bhaint nuair a tháinig Gargantua an tslí. D'inis siad dó go bhfaca siad bean ag gabháil thart nuair a bhí an síol á chur acu. Cheap an fathach go raibh sé ró-dhéanach agus d'iompaigh sé ar ais. Roimh dhul abhaile dó, áfach, ghlan sé a bhróga ollmhóra agus rinneadh cnocán leis an gcré a d'iompaigh sé thart. Níos déanaí, tógadh séipéal in onóir Naomh Macrine ar an gcnoc sin (Rev. Celt. 1, 1870 - 1871, 139, Fonóta 3). Sa bhealach céanna, tógadh scrín Bhríde i bhFochairt san áit inar fhág each a tóraitheora rian a chrúibe.

I gcás Bhríde i bhFochairt, tá an idé de theitheadh agus conas mar a shábháil sí í féin ar dhroch-íde go mór chun tosaigh agus rianta fisiciúla den eachtra ann fós chun í a chur in iúl do mhóidíní an lae inniu. Tá míorúilt an arbhair in easnamh, áfach, i gcás Bhríde. Ach b'fhéidir go bhfuil an chuid seo den fhinscéal Eorpach ann, dáiríre, ach cuma eile a bheith uirthi.

Ó thaobh aimsire agus traidisiúin de, bhí an-lé ag muintir na hÉireann le ba agus le bainne – rud atá fíor fós. Ach, mar a chonaiceamar cheana féin, ba é an scéal a bhí ag muintir na háite ná go raibh an dúiche sin ar fheabhas ó thaobh féir agus bó de, de bharr theagmháil Bhríde leis an áit.

Tá an 'Ghlas Ghaibhneann' – bó shuntasach a thugann fhúirse mhíorúilteach bhainne ach gan masla a thabhairt di – le fáil i seanchas ceantracha éagsúla ar fud na tíre **(Ó hÓgáin, 1990, 240-241)**. I bhFochairt, áfach, is í bó Bhríde atá i gceist.

De réir an scéil, ba mhasla mór don bhó ró-fhial seo soitheach beag a chur fúithi. Rinne an bhean áirithe seo a leithéid. Líon an Ghlas Ghaibhneann an soitheach le bainne go béasach, ach mar sin féin ghoil an masla go mór uirthi agus d'imigh sí féin agus a lao lom láithreach go dtí an fharraige agus tá dhá charraig le feiceáil san áit sin fós –'An Bhó' agus 'An Lao' **(IFC 906; 16-17)**.

Dealraíonn sé gur leagan eile de 'Mhíorúilt an Arbhair' atá anseo. Toisc na cúinsí a bheith difriúil agus an bhéim leagtha ar chúrsaí bó níos mó ná ar churadóireacht de réir nós na háite, bainne atá againn in áit na cruithneachta.

CAIBIDIL A CÚIG DÉAG

'SAOIRE AR CHASAIBH'

Bhíodh nós eile á chleachtadh fadó le linn na Féile Bríde agus baint aige le staonadh ó oibreacha áirithe. Don chuid ba mhó de bhíodh casadh rotha i gceist sna saghasanna oibreacha seo. Léiríonn cuntas slachtmhar ó Chontae Chorcaí an cás:

" *'Lá 'le Bríde ina shaoire ar chasaibh' agus ní chasaidís aon ní an lá sin. Ní dhéantaí sníomh ná deilbh ná treabhadh, agus ní chuirtí capall faoi thrucail.*"

(IFC 900; 12; Nóra Bean Uí Laoghaire, Meall an Mhanaigh, Beantraí, Contae Chorcaí, a d'aithris; Seosamh Ó Dálaigh, Dún Chaoin, Contae Chiarraí a scríobh).

I gcuntas amháin ó Chontae Chiarraí deirtear go gcuirtí an túirne as riocht an oíche roimh ré agus nach gcuirtí le chéile arís é go dti an lá i ndiaidh na Féile **(IFC 899; 5).**

Léirítear an gheis ar chasadh rotha go neamhbhalbh i dtuairisc eile ó Co. Chiarraí:

"… *the people would allow no wheels to be turned on that day, either spinning wheel, cart-wheels or any other wheels, in honour of the Saint.*" **(IFC 899; 17-18; John O'Donoghue, Kilgarvan, Contae Chiarraí, a scríobh).**

Tá sampla tugtha de mhaintín nach raibh sásta fuáil a dhéanamh Lá 'le Bríde mar bheadh uirthi roth an mheaisín fhuála a chasadh (IFC 899; 7).

Cé go raibh an nós go soiléir bhí deacracht ag na daoine aon mhíniú sásúil a thabhairt air. Ba é an scéal a bhí ag Seán Segersiúin ón Rinnín Dubh, An Coireán, Cill Áirne, ná gurbh í Bríd féin a mhúin do na mná conas úsáid a bhaint as olann na gcaorach chun éadach a dhéanamh. Go dtí sin ní raibh an t-eolas sin acu agus ó shin i leith staonann siad ón sníomh ar an lá áirithe seo in ómós di (IFC 899; 52-53).

Sa scéal seo taispeántar Bríd mar laoch cultúir. Múineann sí scileanna a bhaineann le forbairt na sibhialtachta don chine daonna. Téann cuntas eile ar aghaidh ag cur síos ar an mí-ádh a leanann briseadh na geise:

Bhí an bhean seo ag sníomh Lá 'le Bríde. Dhiúltaigh sí scor de nuair a cuireadh in iúl di gur Lá 'le Bríde a bhí ann. Tháinig gaoth mhór an oíche sin agus sciob sí léi díon an tí. Níor deineadh aon díobháil do thithe a comharsan (IFC 899; 165 -166).

I gcás Bhríde, is cosúil gur thosaigh an idé le sníomh agus toisc roth a bheith i gceist chun sníomh a dhéanamh gur leath an idé de roth amach go dtí rothaí eile seachas an ceann a bhíonn i dtúirne agus as sin go dtí castaí eile mar atá casadh an fhóid le linn treafa. I ndeireadh na dála thángthas ar an mana 'Lá 'le Bríde gan troscadh, gan saoire, gan cead casadh tointe.' (IFC 900; 34).

Sa chomhthéacs seo tagann ráiteas Caesar (De Bello Gallico, VI, 17, 2) chun cuimhne agus é ag caint faoi thuairim na gCeilteach gur chuir an bandia Minerva (nó a coibhéis Cheilteach) tús leis na healaíona: "Minervam operum atque artificiorum initia tradere" (Tierney, 1960, 244).

I dtaobh an bhandé seo, deir MacCulloch:
"The Celtic Minerva, or the goddess equated with her, 'taught the elements of industry and the arts', and is thus the equivalent of the Irish Brigit. Her functions are in keeping with the position of

women as the first civiliser – discovering agriculture, spinning, the art of pottery, etc." **(1911, 41)**.

Is féidir é seo a chur i gcomparáid leis an gcur síos a rinne Cormac Mac Cuileannáin ar Bhrigit mar Bhandia a dtugadh filí adhradh di, agus in éineacht léi bhí a beirt dheirfiúracha – Brigit bé ghoibhneachta agus Brigit bé leighis – triúr iníonacha an Daghdha **(Stokes, 1862, 8)**.

I dtuairisc ó Oileán Chléire, Co. Chorcaí, léirítear cé chomh dian agus a bhíodh mallacht Bhríde ar an duine a bhrisfeadh an gheis ar chasadh. Ba mhinic a tharla gur bhris an treabhdóir a lámh nó a chos agus é ag treabhadh Lá 'le Bríde, nó b'fhéidir gur briseadh cos an eich. Chomh maith leis sin, b'fhéidir go dteipfeadh ar an mbarr. Sna cásanna seo, chreideadh muintir an oileáin "gurbh í Bríd a chuirfeadh mallacht ar an duine, nó ar an mbeithíoch, nó ar an obair." **(IFC 900; 36)**.

Cuireann an abairt a úsáidtear sa chuntas céanna *"B'fhéidir ná fásfadh aon ní ins an talamh a iompófaí Lá 'le Bríde"* cumhacht Bhríde ar thorthúlacht nó ar sheisce na talún a chur in iúl go ríshoiléir. Tá macalla den chreideamh sin le feiceáil in áiteanna eile.

Bhíodh gnás caithréimeach ar siúl i gceantar Savoie na Fraince síos go dtí an naoú haois déag ina mbíodh cumhacht an bhandé ar thorthúlacht nó ar sheisce na talún curtha in iúl go drámatúil.

Siúlóid a bhíodh ann ó Maché go dtí Bissey timpeall trí chiliméadar ó na chéile Lá 'le Vailintín (14 Feabhra). Bhíodh bean leathnocht i dtrucail mar chroílár an ghnáis agus corn lán d'fheithidí díobhálacha aici chomh maith le caighean folamh. Théadh an tsiúlóid trí na páirceanna le mórspleodar. Bhíodh Aifreann ar siúl i Bissey agus ól, ceol agus rince ina dhiaidh. Chuireadh na húdaráis eaglasta coileach beo isteach sa chaighean. Thagadh lánúineacha óga a mbíodh clann de dhíth orthu an tslí agus bláthfhleasca acu. Um thráthnóna, thógadh na daoine óga an coileach abhaile leo go Maché.

Bhíodh ar Ab na mainistreach – L'abbaye de Saint Valentin de Maché – é a chothú ar feadh seachtaine. Ansin, ar an 22ú lá d'Fheabhra, Féile Chathaoir Pheadair in Aintioch, chuirtí an coileach chun báis trí shá lainne **(Berger, 1988, 84-85)**.

Cé gur bhain an gnás seo le Naomh Vailintin – agus tá comhcheangal aigesean le cúrsaí grá – ag an am céanna, bhíodh ról an bhandé go mór chun tosaigh ann agus uirlisí seisce agus torthúlachta in a lámha aici – na feithidí a loitfeadh na barraí agus an coileach a d'ithfeadh na feithidí.

Níl an cleachtas seo 'Saoire ar Chasaibh' go forleathan. Tá sé le fáil i gCúige Mumhan, i gCo. na Gaillimhe, i gCo. Mhaigh Eo agus i roinnt bheag áiteanna eile.

Is anseo a bhuailimid le feiniméan aisteach. Bhíodh an nós ceanann céanna i bhfeidhm in a lán áiteanna in Éirinn i gcomhcheangal le Féile Mhártan ar an aonú lá déag de Mhí na Samhna. Luann Amhlaoimh Ó Súilleabháin an cás ina 'Chín lae':

"11ú (Samhain). Lá Fhéil Mártan. Ní chuireann muilleoir roth ar siúl inniu. Ní mó do chuirfeadh bean abhrais turan ar imeacht agus ní chuireann an scológ a sheisreach ag treabhadh. Ní dhéantar aon ghnó inar gá casadh. Ní fheadar créad é an chiall atá leis, má tá aon chiall ar aon chor leis." **(De Bhaldraithe, 1976, 50)**.

Tá fianaise ann ó Chontae Chill Dara go raibh an cás amhlaidh ansiúd:
"No wheel was allowed to turn, or plough to work, before 12 noon on St. Martin's Day. This applied equally to the spinning-sheel as to the cart or mill-sheel."
(Journal of the Kildare Archeological Society, V, 451).

Bhíodh an gheis seo i bhfeidhm i gCúige Chonnacht ar fad agus i lár na tíre **(Béal. IX, 231, fonóta 14)**.

Déanann Einrí Ó Muirgheasa tagairt don eachtra a tharla i muilte Bhaile Easa Dara, Contae Shligigh, nuair a tógadh ar dtús iad. Dhiúltaigh na hoibrithe aon obair a dhéanamh ar Fhéile Mhartan. Chuir na húinéirí Protastúnacha iallach orthu oibriú, áfach, agus chuaigh na muilte trí thine an oíche sin **(Béal. IX 231-232)**. Tá an eachtra seo an-chosúil le mallacht Bhríde ar an té a bhrisfeadh an gheis 'Saoire ar Chasaibh".

Tugadh aitheantas don gheis chéanna in Inse Gall:
"In the Hebrides, no woman span on St. Martin's Day, no miller ground his corn, and no wheel was turned." **(McNeill, 1961, 3, 43)**.

Rinneadh iarracht ar an gcosc ar chasadh a mhíniú tríd an tuairim gur mhuilleoir a bhí i Naomh Mártan, nó gur maraíodh é i muileann **(Béal. IX, 231)**. Ach níl fianaise ann go raibh baint faoi leith aige le muilte.

Deir Danaher go raibh réimse leathan ag na nósanna a bhain le Féile Mhartan
"except for south County Kerry and south-west County Cork, all of south and mid-Leinster, and a few places in south-west Ulster." **(1972, 231)**.

Níos luaithe, agus é ag caint faoi 'Shaoire ar Chasaibh' i gcomhcheangal le Féile Bríde, luann an t-údar céanna na dúichí céanna beagnach i gCúige Mumhan:
"This was especially the case in south County Kerry and west County Cork, from which area we hear of dressmakers refusing to operate their sewing machines, and of men walking long distances rather than use bicycles." **(1972, 14-15)**.

Mar a chonaiceamar, tá an chosúlacht ann gur shíolraigh an cleachtas ó Minerva/Bríd mar bhunaitheoirí snímh agus ealaíne. An amhlaidh gur aistríodh an nós ó Fhéile Bhríde go dtí Féile Mhártan ar fud an chuid is mó den tír ach gur lean an sean-nós sna dúichí seo ina raibh traidisiún an bhandé in uachtar agus Dhá Chíoch Anann agus Baile Bhúirne os a gcomhair amach chomh maith leis an gCailleach Bhéarra?

Tá an chuma ar an scéal gur imigh gnása Fhéile Mhártan i bhfeidhm ar Fhéile Bhríde in áiteanna anseo agus ansiúd.

Bhí dhá rud ag baint le Féile Mhártan go háirithe, 'Saoirse ar Chasaibh' mar a chonaiceamar cheana féin – agus doirteadh fola. B'iondúil sicín, nó gé, nó ainmhí éigin a mharú go gnásúil mar íobairt "in onóir Dé agus Naomh Mairtín." Tugann Einrí Ó Muiríosa cuntas éifeachtach ar an gcleachtas:

"In Ballina, Co. Mayo, there is a special market called 'St. Martin's Market', where fowl – geese especially – are sold for the feast. About a week before the festival the bird or animal is segregated from the rest of its kind. This was apparently the 'dedication' as thenceforth it was specially fed in preparation for the sacrifice. The killing was a formal affair, generally done by the head of the house, and its blood was spilled in the four corners of the house inside and was sprinkled or daubed on the door posts. This was done 'in onóir Dé agus Naomh Máirtín.' As far as I have been able to find out, the daub on the door posts was not a cross. Sometimes the blood was sprinkled on the threshold also." **(Béal. IX, 230)**.

Leanann an cuntas ar aghaidh á rá go ndíonfadh an gnás seo an líon tí ar gach mí-ádh i rith na bliana, de réir thuairim na ndaoine. Dhéanaidís béile as an gcearc ansin agus thugtaí cleití na gé íobartha do na leanaí chun pinn a dhéanamh astu mar ceapadh go gcuirfidís siúd feabhas ar a gcuid scríbhneoireachta.

I gcuntas ó Chlochar, Co. Mhaigh Eo i dtaobh na Féile Bríde, deirtear go maraíodh gach bean tí cearc nó sicín. Bhíodh 'Saoire ar Chasaibh' ar siúl ann chomh maith: *"Níor mhaith leo rotha an túirne a cur thart an lá sin."* **(IFC 903, 34-35)**.

Sa cás seo tá an dá rud bhunúsacha a bhaineann le Féile Mhártan go háirithe, le feiceáil, cé nach bhfuil an ghnásúlacht chéanna ag baint le marú an tsicín. Is cosúil go mbíodh féile amháin ag tógaint míreanna áirithe ar iasacht ó fhéile eile uaireanta. Tugann cuntas ó Eachléim, Co. Mhaigh Eo, rud den sórt sin faoi deara: *"Ba ghnáthach chomh maith, an oíche sin, molt a mharú in onóir Naomh Bríd, mar a mharaítear gé oíche Fhéile Mhártan."* **(IFC 903; 72)**.

Tá mír bheag eile a cheanglaíonn Féile Bhríde agus Féile Mhártan le chéile i gCo. Shligigh:
"In Co. Sligo a piece of flannel was left outside the house on St. Martin's night (10th) and was preserved for curing persons or animals." **(Béal. IX, 234)**.

Is léir chomh gar agus atá an nós seo do 'Brat Bhríde.'

Caibidil a Sé Déag

GNÁSANNA ÉAGSÚLA THÚS NA BLIANA

Chun iarracht a dhéanamh Gnás na Tairsí agus an Bhrídeog a chur i gcomhthéacs éigin, ní miste súil a chaitheamh ar na dátaí éagsúla a bhain le tús na bliana leis na cianta anuas.

Is é an chéad lá d'Eanáir Lá Caille, nó tús na bliana, ón mbliain 1751 anuas nuair a glacadh leis an bhféilire nua in Éirinn de réir dlí.

Roimhe sin thosaigh an bhlian (de réir dlí) ar an 25ú lá de Mhárta in Éirinn *(Eacaineacht an Earraigh – 21 Márta).*

Ghlac muintir na tuaithe leis an gcéad lá den earrach (Lá 'le Bhríde, 1ú Feabhra) mar thús na bliana oibre. **(Danaher, 1972, 258-259).**

Is léir go bhfuil an chéad lá d'Eanáir ceangailte go dlúth le Grianstad an Gheimhridh (21 Nollaig) agus seal mhéadú na gréine.

Is féidir, mar sin, na gnásanna a ghabhann leis na dátaí éagsúla seo a chur san áireamh mar aonad gnásúil a bhaineann le tús na bliana go háirithe.

Maidir le hOíche Shamhna agus le hOíche Bhealtaine deir A. agus B. Rees:

"The customs of both Eves have features characteristic of New year celebrations generally; for example, the practice of divinations and the re-lighting of household fires from a ceremonial bonfire." **(1961, 89)**.

D'fhéadfaí an rud céanna a rá faoi Ghrianstad an tSamhraidh (21 Meitheamh) mar thús seala laghdú na gréine.

Ní haon iontas é, mar sin, an feiniméan a thugamar faoi deara, 'sé sin le rá an claonadh atá ann féile amháin a bheith ag tógáil míreanna ar iasacht ó fhéilte eile.

Tá a chuma air nach raibh Lá Caille (1 Eanáir) nó an oíche roimh ré, ró-thábhachtach riamh mar fhéile mhór in Éirinn agus, mar a chonaiceamar, níor tháinig an lá sin chun cinn mar thús na bliana go dtí an bhliain 1751. Bhí córas na Róimhe i bhfeidhm in Albain, áfach, le fada an lá agus bhí an-tóir ar an gcéad lá d'Eanáir mar thús na bliana anseo in Éirinn. B'fhéidir, mar sin, go bhfuil bunús Albanach leis an gcuardach nuair a bhuailtear leis in Éirinn. **(Danaher, 1972, 258-259)**.

Aisteach go leor, tá sampla den fheiniméan sin le fáil i gcuntas ó dheisceart na tíre.

Ó Ghleann Eatharla i gCo. Chiarraí tagann cuntas anuas chugainn ar ghnás atá thar a bheith suimiúil agus a bhaineann le Lá Caille, 'sé sin le rá an chéad lá d'Eanáir nó tús na nuabhliana ón mbliain 1751 **(Danaher, 1972, 258)**. Sa ghnás seo, tá míreanna le fáil atá cosúil le nithe i nGnás na Tairsí ar thaobh amháin de agus le nós an chéadchosaigh nó 'First Footing' na hAlban ar an taobh eile de.

Ba é an chéad duine sa teach a d'éiríodh maidin lá Caille a bhíodh i mbun an ghnáis.

D'imíodh sé amach agus dhéanadh sé trí chuairt timpeall an tí (ag gabháil deiseal de réir cosúlachta) agus gach aon uair a thagadh sé go dtí an doras deireadh sé:

"Go mbeannaí Dia anso, agus go dtuga Dia bliain nua mhaith daoibh."

An chéad agus an dara cúrsa, ní thagadh sé ach go dtí an doras, agus an tríú babhta thagadh sé isteach.

Thugadh gach duine a bheadh ina dhúiseacht an gnáthfhreagra, is cosúil:
"Dé bheathasa chugainn"

An duine:
"Go maire sibh slán (agus bhur ndóthain agaibh)"

Chomh luath agus a d'éireodh bean an tí thabharfadh sí béile maith dó **(An Seabhac, 1932, 318)**.

I dtraidisiún na hAlban is é an 'first-foot' an chéad duine a thagann isteach sa teach go moch maidin Lá Caille.

Bhíodh rath na bliana nua ag brath ar an 'first-footer' agus dá bhrí sin, ba bhreá le lucht an tí fáilte a chur roimh dhuine galánta saibhir seachas straoill éigin gan snas. Bhíodh bronntanas aige, nó aici, do mhuintir an tí agus bhíodh bia agus deoch le fáil aige/aici siúd sa teach, chomh maith.

Sa ghnás ó Ghleann Eatharla tá freagra le fáil ag an gcuairteoir nuair a thagann sé isteach sa teach ó gach duine sa teach a bhíonn ina dhúiseacht. Tá sé le tuiscint go mbeadh freagra le fáil aige faoi thrí dá thrí bheannú ach na daoine a bheith ina suí, 'sé sin le rá, go bhfuil an cás díreach cosúil le trí agallamh an dorais i nGnás na Tairsí.

Mar an gcéanna, timpeallaíonn sé an teach ar an taobh amuigh faoi thrí, díreach cosúil leis an iompú deiseal a bhíodh ar siúl in áiteanna áirithe i nGnás na Tairsí.

Ansin, bíonn béile aige ar aon dul le Gnás na Tairsí. Tá a chuma ar an scéal gur saghas 'First-Footer' í Bríd chun beannachtaí na bliana nua a bhronnadh ar lucht an tí.

Bhíodh gnás an-cháiliúil ar siúl in Oileáin Bhríde in Albain fadó agus cuma na hardársaíochta air. Bhíodh sé ar siúl Lá Caille. Is cosúil gur bhain sé le hOíche Shamhna ar dtús, ach gur aistríodh é le teacht an fhéilire nua. Ba é seo 'Hogmanay' nó cuairt an tarbhfhir agus a bhuíne.

Bhíodh fear gléasta i seithe tairbh, le hadharca, crúba agus eireaball uirthi. Choimeádtaí an tseithe seo ar na fraitheacha i rith na bliana go dtí go raibh gá léi.

Um mheán-oíche, thosaíodh an bhuíon ag gabháil timpeall an cheantair, ó theach go teach – an tarbhfhear i dtosach. Leanadh na fir eile é agus iad ag bualadh na seithe lena gcamáin cosúil le bualadh droma agus an rann seo á rá acu:

Calluinn a bhuilg,
Calluinn a bhuilg,
Buail am boicionn,
Buail am boicionn.
(McNeill, 1961, 3, 89-90; 155)

Bhíodh ballaí seantithe Oileáin Bhríde an-tiubh – ó a cúig go dtí a hocht dtroigh ar leithead agus gan aon bheanna orthu. Bhíodh an díon ag éirí ón imeall inmheánach, i dtreo go mbeadh cosán ag gabháil timpeall an tí thuas ar na ballaí. Ba mhór an buntáiste an cosán sin nuair a bhíodh tuí nua á chur ar an díon. Bhíodh dreapa ar thaobh amháin den teach chun dul suas agus teacht anuas agus tá tagairt don ghluaiseacht seo sa rann.

Ba in airde ar an gcosán seo a rachadh an 'tarbhfhear' agus a bhuíon – na 'gillean Callaig' (Giollaí Caille) nuair a shroichidís an teach agus dhéanaidís an tIompú Deiseal timpeall an tí. I leagan eile den ghnás deirtear go ndéantaí é seo faoi thrí **(McNeill, 1961, 3, 118)**. Théidís timpeall, duine i ndiaidh duine, agus an 'tarbhfhear' agus na ballaí á mbualadh acu le han-chuid spleodair.

Ansin, thagaidís anuas, agus os comhair an dorais bhíodh an rann seo le rá acu:
Nist (anois) ó tháine sinn dh'an dúthaich,
Dh' úrachadh dhuibh na Callaig,
Cha ruig uine dhúinn bhí 'g innse,
Bha í ann ri linn ár seanar. (sinsir) **(C.G.1, 150)**.

Téann an rann ar aghaidh ansin chun léargas a thabhairt ar an gcuid thábhachtach eile den ghnás atá le teacht taobh istigh den teach. Baineann castacht áirithe leis an mír seo toisc dóigheanna éagsúla a bheith ann chun í a chur i láthair. Go bunúsach, ar dhul isteach sa teach don bhuíon, chuireadh an 'tarbhfhear' imeall na seithe sa tine chun é a bharrloscadh. Ansin, d'imíodh sé timpeall ag tabhairt boladh de do gach duine sa teach. Dá múchfaí an giota seithe i láimh duine b'olc an mana é. Bhain bolú na seithe le bronnadh torthúlachta agus sláinte ar mhuintir an tí.

I ndiaidh dhul isteach sa teach agus bolú na seithe, thugadh bean an tí bia agus deoch don bhuíon.

Ansin, dhéanaidís an tIompú Deiseal timpeall na tine a bhíodh i lár an tí, á rá:
Mór-phiseach air an tigh,
Piseach air an teaghlach,
Piseach air gach cabar
Is air gach ní saoghalt'ann.
(McNeill, 1961, 157)

Tar éis torthúlacht, rath agus sláinte na hathbhliana a bhronnadh ar an teach sa ghnás drámatúil seo, d'imíodh an fhoireann go dtí an chéad teach eile.

I dtéarmaí chultas Bhríde, baineann Bríd le tús na bliana, le cur an arbhair, le tús shéasúr na hiascaireachta, le breith na n-uan, le flúirse bainne, le haiséirí an dúlra i ndiaidh chodladh an gheimhridh, le héin ag neadú sna toim, le síneadh an lae, le stoitheadh na húrluachra ag deireadh na dúluachra.

Arís agus arís eile tagann 'úrluachair' chun tosaigh sna cuntais i gcomhthéacs dhéanamh na Croise:
'luachair ghlas bhog' **(LS 904; 11)**: Dún na nGall;
crosses are made from green rushes' **(LS 904; 179)**: Dún na nGall;
'nice green rushes' **(LS 905; 148)**: Contae Thír Eoghain;
'nice green rushes' **(LS 905; 156)**: Contae Thír Eoghain;
'good rushes' **(LS 905; 201)**: Contae an Chabháin.

De ghnáth, deirtear go dtagann an dúluachair 'eidir Nodlaic agus Féile Bríde' agus tugann Dinneen leid go bhfuil nasc idir an focal seo agus 'luachair' (solas) **(1927, 376)**.

Agus an duine ag gearradh nó ag stoitheadh na luachra chun Cros Bhríde a dhéanamh dhéanfadh sé idirdhealú idir seanbhroibh chríonna chaite na dúluachra agus nuaghasóga glasa na húrluachra. D'fhágfadh sé an seanfhásra ina dhiaidh agus thógfadh sé an fásra nua abhaile leis mar ábhar na Croise. Sa tslí sin sheasfadh Cros Bhríde na húrluachra don ré nua a bhí curtha i bhfeidhm aici.

Tá cnuasach mór féilte ag tús na bliana agus aontas áirithe le haithint eatarthu ó thaobh cúrsaí solais nó tine de:

1 Tine chnámh na Samhna ag tús an gheimhridh;

2 Féile Naomh Lúise, 13 Mí na Nollag, (seanghrianstad an gheimhridh), caitheann cailín a thógann áit Lúise coróin choinnle lasta ar a cheann;

3 Féile na Nollag, 25 Mí na Nollag; Yule Log sa tinteán. Téann léas solais ón ngrian isteach sa phluais i mBrú na Bóinne ar an ngrianstad (21 Mí na Nollag). Tús ré mhéadú na gréine;

4 An Eipeafáine, 6 Eanáir, tinte sna goirt, dhá choinneal déag á lasadh;

5 Plough Monday, an Luan i ndiaidh na hEipeafáine. Thugtaí an céachta timpeall tine chun tús maith a chur leis an mbliain;

6 Lá 'le Bríde, Coinnle ar lasadh; Cros na hAithinne Dóite;

7 Lá 'le Muire na nCoinneal; beannú agus siúlóid na gcoinnle;

8 Féile Naomh Bláisias, 3 Feabhra; beannú na scornaí le coinnle lasta. Tinte cnámh;

9 Tinte an Charghais; Escouvion, 'Spark Sunday', Feux des Brandons;

10 Athadhaint Thine Veiste sa seanRóimh, 1 Márta;

11 Tine na Cásca;

12 Tine na Bealtaine ag tús an tsamhraidh;

13 Tine Fhéile Eoin (23 Meitheamh). Tús ré laghdú na gréine;

14 'Burning of Bartle' (c. 24 Lúnasa). Tús an Fhómhair.

Is léir go ngabhann an idé d'íobairt níos dlúithe leis an tine ná leis na dúile eile mar uisce, cré agus aer. Ní sheasann tine as a stuaim féin ach braitheann sí ar bhreosla de shaghas éigin – adhmad, cnámha, feoil, ola, céir, agus mar sin de, chun fanacht beo. Baineann athrú rud éigin go dtí rud éigin eile – í féin – le heisint na tine. Dá bhrí sin, tá sí ceangailte go mór leis na híobairtí séasúracha a mharcálann an t-aistriú ó thráth amháin go dtí tráth eile. Is féidir féachaint ar na séasúir atá thart mar an mhír dhiúltach. Déanann an tine an mhír sin a alpadh agus as alpadh an tseanruda éiríonn an mhír dhearfach – an tine gheal nua – siombail den tráth úr atá ag tosú. Is saghas athchruthú an domhain an séasúr nua – rud a léirítear go soiléir ag Bhigil na Cásca nuair a léitear scéal an chruthaithe as an mBíobla i gcomhcheangal leis an tine.

Sa chnuasach mór seo de dhaonfhéilte na hEorpa tá an tine agus an idé de sholas chun tosaigh.

Mar a chonaiceamar, is minic a scaiptear an tine i measc na bhfeirmeacha agus a athlastar tinte theallaigh na ndaoine ó thine chnámh lárnach.

Sa lá atá inniu ann tá sampla de scaipeadh na tine le feiceáil go soiléir i Liotúirge Bhigil na Cásca. Lastar tine na Cásca ar dtús, ansin cuirtear sméaróidí ón tine isteach sa túisteán chun an túis a dhó; lastar Coinneal na Cásca ón tine ansin agus ó Choinneal na Cásca lastar coinnle na ndaoine agus coinnle agus lampaí an tséipéil.

Múchtar na soilse go léir sa séipéal ar dtús agus dá bhrí sin is tús nua a n-athlasadh ó Choinneal na Cásca. Cuirtear an idé de chruthú nua an domhain i láthair go follasach nuair a léitear scéal an chruthaithe ón mBíobla i ndlúthcheangal leis an tine nua.

Cuirtear é seo in iúl go héifeachtach san 'Exultet' i mBigil na Cásca. Feictear Choinneal na Cásca a lastar ón tine mar íobairt (in onóir Dé) ina bhfuil céir na mbeach á hídiú chun solas na coinnle a chothú. Is tríd an solas sin a lonraíonn ón gcoinneal a scaiptear rath na Cásca ar na daoine.

Ach cé go bhfuil 'Scaipeadh an Ratha' mar mhír bhunúsach i roinnt mhaith de ghnásanna ársa séasúracha **(Southern, 1985, 39)** ní hé úsáid na tine an t-aon bhealach amháin chun é a dháileadh amach i measc an phobail.

Seasann na gnásanna traidisiúnta cuairte ina dtéann buíon gheamairí ó theach go teach do 'Scaipeadh an Ratha' go háirithe, agus cé go mbailíonn siad airgead go minic níorbh é sin príomhchúis an chleachtais ar dtús. Bhain na gnásanna le bronnadh an ratha ar na daoine níos mó ná le haon chúiteamh a fháil. Is féidir Gnás na Brídeoige a aithint taobh istigh den choimpléasc ollmhór gnásanna cuairte den saghas seo atá le fáil fós nó atá imithe i léig ar fud na hEorpa.

Uaireanta bíonn tine agus cuairt araon le fáil i ngnás séasúrach agus i gcás mar sin is deacair aon idirdhealú ró-chruinn a dhéanamh idir modhanna difriúla aistriú an áidh.

Bíonn tine ag gabháil le gnásanna na Samhna agus na Bealtaine, mar shampla, agus ag an am céanna bíonn leanaí ag gabháil timpeall ó theach go teach ag bronnadh rath na nua-ré ar an líon tí. I gcásanna mar seo bíonn meascán den ghnás tine agus den ghnás cuairte le feiceáil. I siúlóid na gcoinnle, Lá 'le Muire na gCoinneal (2 Feabhra) tá gnás na tine chun tosaigh go mór mór i nDeasghnáth Braga sa Phortaingéil mar a dhéantar na coinnle a lasadh ó thine nua a adhaintear ó chloch chreasa agus léirítear an rath nó an bheannacht i dtéarmaí solais:

"... *illumina corda et sensus nostros*"
(Missale Bracarense, 1924, 502, 510)
(soilsigh ár gcroithe agus ár meoin).

Ag an am céanna, téann an tsiúlóid leis na coinnle lasta i measc na ndaoine taobh istigh nó taobh amuigh den séipéal de réir nós na háite.

I ngnásanna eile, áfach, is í an chuairt ar na tithe nó ar an tsráidbhaile nó meascán den dá rud atá chun tosaigh.

Cé go bhfuil raidhse leaganacha difriúla chomh maith le truailliú le haithint sna drámaí geamairachta faoi mar atá siad le fáil faoi láthair, baintear go bunúsach le bua na beatha ar an mbás agus dá bhrí sin is oiriúnach an tráth ina ndéantar iad a ghníomhú – tús na bliana, timpeall ghrianstad an gheimhridh – nuair a bhíonn solas na gréine ag méadú agus meon na ndaoine dírithe ar ullmhú na talún don síolchur. Gan amhras, ba ghnás draíochta ar dtús an gheamaireacht chun na dúile a spreagadh chun torthúlachta, 'sé sin le rá go mbuafadh cumhachtaí an fháis ar chumhachtaí an mheatha faoi mar a léirítear é sa dráma. Sa gheamaireacht, buaileann beirt laoch – Naomh Seoirse agus Turcach, mar shampla, le chéile agus tosaíonn gach duine díobh ag maíomh as a ghaiscí féin. Chun an fear is fearr a aimsiú tosaíonn siad ag troid.

Sa chomhrac aonair seo, éiríonn leis an mbithiúnach (e.g. an Turcach) an laoch (e.g. Naomh Seoirse) a mharú. Tagann máthair nó bean an laoich isteach agus déanann sí olagón. Ansin glaotar ar dhochtúir. Tagann an dochtúr isteach le mála luibheanna agus i ndiaidh raidhse cleasaíochta éiríonn leis an dochtúir an laoch a athbheochaint. Gabhann deireadh meidhreach spleodrach leis an dráma, agus téann duine amháin timpeall ag bailiú airgid ón lucht féachana (Gailey, 1969, 17).

Is cosúil go seasann an laoch a mharaítear do bhás an tsíl a chuirtear sa talamh san earrach agus siombail de chumhachtaí rúnda an nádúir le meascán de thaise na báistí agus teas na gréine an dochtúir. I ngach cás tagann an rud marbh chun athbheochana.

Bhíodh sé mar chuspóir ag an dráma sa tseanaimsir an rud a léirigh sé go siombalach a chur i bhfeidhm sa ghort arbhair agus cúrsa cothramach an bháis agus na beatha a chothú i measc daoine agus eallaí de réir chóras na draíochta aithrise **(Frazer, 1923, 48-60)**.

Tá cosúlachtaí suntasachta le feiceáil idir lucht na Brídeoige agus na geamairí:

1   Baineann an Bhrídeog le tráth faoi leith – tús an earraigh agus tús bhliain an fheirmeora;
    Mar an gcéanna leis na drámaí geamaireachta, baineann siadsan le tús na bliana chomh maith, gar do ghrianstad an gheimhridh;

2   Sa Bhrídeog, téann buíon ó theach go teach, iad gléasta agus mascaithe go neamhchoitianta agus tuí mar ábhar feistis acu uaireanta. Léiríonn an mhír dheireanach seo an nasc leis an bhfómhar.
    Mar an gcéanna leis na geamairí;

3   Uaireanta séideann lucht na Brídeoige adharc chun fógra a thabhairt do mhuintir an tí go bhfuil siad ar an tslí. Uaireanta déanann na geamairí an rud céanna **(Gailey, 1969, 16, 42)**;

4   Uaireanta seineann lucht na Brídeoige ceol agus déanann siad dreas rince taobh istigh den teach.
    Uaireanta déanann na geamairí an rud céanna **(Gailey, 1969, 32, 58)**;

5   Déanann lucht na Brídeoige bailiúchán.
    Mar an gcéanna leis na geamairí **(Gailey, 1969, 47, 56)**.

Is í an difríocht bhunúsach atá eatarthu, áfach, ná go bhfuil an comhrac aonair lena léiriú de mharú agus d'athbheochan in easnamh sa Bhrídeog, ach tá sé mar chroílár an dráma geamaireachta.

Ach cé nach bhfuil léiriú drámatúil de bhás agus athbheochan le fáil chomh soiléir sin sa Bhrídeog agus atá sa gheamaireacht, ag an am céanna is féidir a chur san áireamh na samplaí a chonaiceamar mar mheasctaí grán ó Chros Bhríde leis an síol arbhair a bhíodh á chur sa talamh san earrach. Sa tslí sin, agus an gráinne in alt Bhríde, bhíodh Bríd mar an laoch a mharaítí agus a d'athbheotaí arís le fás an arbhair.

Maidir le 'Gnás na Tairsí' – an nós úd a bhíodh an-choitianta i dtuaisceart na tíre Oíche 'le Bríde – chonaiceamar go sractaí Bríd (an phunann luachra) as a chéile chun Chros Bhríde a dhéanamh, chun teagmháil a dhéanamh le bia an teaghlaigh agus chun dul i bhfeidhm ar chúrsaí cosanta, sláinte agus torthúlachta an líon tí i gcoitinne.

Cuireadh an tuairim chun cinn gur bhain an gnás seo le Miotas Purusa, 'sé sin le rá an miotas fíorársa a mhínigh gur cruthaíodh an chruinne as baill éagsúla chorp Purusa nuair a sracadh as a chéile é.

Go ginearálta, de réir leaganacha éagsúla de mhiotas ársa Purusa, rinneadh an spéir as ceann an bhun-fhir seo, rinneadh an talamh as a chuid feola, an fásra as a chuid gruaige, an t-uisce as a chuici fola, an t-aer as a anáil, an ghrian as a shúil, an ghealach as a aigne, na clocha as a chnámha, agus mar sin de **(Lincoln, 1991, 168)**.

Ansin, nuair a dhéanfaí athgníomhú gnásúil an mhiotais trí íobairt nó trí aisteoireacht rachadh sé i bhfeidhm ar an domhan chun é a athnuachan. Tharlódh sé sin, ní nach ionadh, ag deireadh na bliana nuair a bheadh tuirse agus meath ar an dúlra agus spreagadh ag teastáil go géar chun tús a chur leis an mbliain nua. Mar sin, is gar do ghrianstad an gheimhridh (21 Mí na Nollag) a bhíonn na drámaí geamaireachta ar siúl don chuid is mó de, agus de ghnáth, léiríonn siad siúd an comhrac idir bás agus beatha agus an bua ag an athnuachan.

Tá cuntas le fáil ar dhráma geamaireachta a bhíodh ar siúl i meánchontaetha Shasana a léirigh an miotas go beacht. Ba é seo an nós 'Tupping'. Théadh na geamairí timpeall, Lá 'le Stiofáin, nó Lá Caille agus an ceannaire feistithe i seithe agus i gceann reithe.

Dhéanadh an bhuíon é a 'íobairt' agus i ndeireadh na dála thagadh dochtúir isteach chun é a athbheochan de réir ghnáthnós na geamaireachta.

Ach murab ionann agus drámaí eile den saghas seo tháinig an idé de shracadh, de roinnt bhaill an íobartaigh chun cinn sa chás seo – sa rann a bhíodh ag gabháil leis an dráma – 'The Derby Ram'.

Fathach reithe atá san ainmhí seo de réir an dáin. Le gach coiscéim a thógann sé clúdaíonn sé acra talún. Tógann iolair neadacha ina adharca. Nuair a chuirtear chun báis é báitear daoine i dtuile a chuid fola agus mar sin de. Is léir an chosúlacht le miotas Purusa agus deir Cooper agus Sullivan ina thaobh: *"Tupping appears to be a drama based on the myth of Creation itself."* **(1994, 356)**.

Sa chás seo, ar aon dul leis na drámaí geamaireachta eile, athnuaitear an 'reithe' ina riocht féin, ach dáiríre is in athnuachan na talún, i bhfás an arbhair, i mbreith na n-uan a thagann an reithe ar ais faoi lánseol.

Thosaigh an saothar seo le cur síos gairid ar shaol Naomh Bríd faoi mar atá sé léirithe sa litríocht.

Chonaiceamar an ráiteas misticiúil ina taobh sa Leabhar Breac ina bhfuil sí mar ghrian ag lonradh ar neamh i measc na nAingeal i láthair na Tríonóide.

Baineann an aisling seo leis an alltar ach ní dhéanann an t-údar dearmad orthu siúd atá fós sa cheantar agus éiríonn a ghuí chráifeach chuig Bríd go sroichfimis go léir an chathair shíoraí sin ina bhfuil sí lonnaithe.

Is leathnú amach ar an nguí sin an cultas fairsing casta a ghabhann le Lá 'le Bríde i measc na ndaoine.

Chonaiceamar conas mar a chuaigh a féile, a carthanacht, agus a grá do na bochtáin i bhfeidhm ar an bpobal Críostaí ó cheann ceann na tíre agus thar lear.

Léiríodh an t-ómós a tugadh di i nósanna agus i gcleachtais thraidisiúinta taobh istigh den teaghlach agus taobh amuigh de.

Creideadh go forleathan go mbíodh Bríd ag filleadh ón alltar le linn a féile chun a beannacht a chur ar mhuintir an tí.

Taobh amuigh den teach bhíodh oilithreachtaí ar siúl go dtí toibreacha beannaithe Bhríde in a lán áiteanna éagsúla ar fud na tíre. Ócáidí faoi leith ba ea iad seo nuair a bhuaileadh daoine ó cheantracha difriúla lena chéile.

Chonaiceamar an bhaint a bhí ag Bríd le cúrsaí aimsire agus feirmeoireachta agus tús na bliana. Titeann an líthlá ar sheanfhéile Imbolg agus seasann an cultas Críostaí faoi scáth an bhandé Brigit.

Tá cnuasach nósanna bailithe le chéile ó fhoinsí éagsúla chun ceiliúradh a féile a chur i láthair go healaíonta agus go hómósach agus tá a mhacasamhail le fáil i ngnásanna an earraigh in áiteanna áirithe ar fud na hEorpa. Dá bhrí sin, gabhann dathúlacht agus ilghnéitheacht lena cultas mar is dual do 'Mhuire na nGael' agus d'Éarlamh Fhir Éireann.

LEABHARLIOSTA

Almquist, B., Ó Catháin, S., Ó Héalaí, P., (eds.); THE HEROIC
PROCESS (Dún Laoghaire, 1987)

'An Seabhac'; AN SEANCHAIDHE MUIMHNEACH (Baile Átha
Cliath, 1932)

Archdall, M., MONASTICON HIBERNICUM (Dublin, 1886)

Baldini, U., PRIMAVERA (London 1986)

Barrington, T.J., DISCOVERING KERRY (Dublin, 1976)

Berger, P., THE GODDESS OBSCURED (London, 1988)

Bergin, O., HOW THE DAGDA GOT HIS MAGIC STAFF (New York 1927)

Best, R., and Lawlor, H., THE MARTYROLOGY OF TALLAGHT
(London, 1931)

Bord, J. and C., EARTH RITES (London, 1982)

Bord, J. and C., SACRED WATERS (London, 1985)

Bowen, E.G., 'The Cult of St. Brigit'; STUDIA CELTICA 8-9 (1973-1974)
33-47

Breathnach, D., CHUGAT AN PÚCA (Baile Átha Cliath 1993)

Burl, A., RINGS OF STONE (London, 1979)

Burl, A., PREHISTORIC STONE CIRCLES (Aylesbury, 1983)

Butler, A., BUTLER'S LIVES OF THE SAINTS (London, 1956)

CALENDARIUM ROMANUM (Roma, 1969)

Campbell, J., (Ed.); A COLLECTION OF HIGHLAND RITES AND
CUSTOMS (Cambridge 1975)

Campbell, J., OCCIDENTAL MYTHOLOGY (London 1976)

Cammaerts, E., FLEMISH PAINTING, (London, 1945)

Carey, E., FAUGHART OF SAINT BRIGID (Dublin 1982)

Carmichael, A., CARMIINA GADELICA (Edinburgh, 1972) (CG)

Cawley, A.C., (Ed.); EVERYMAN AND MEDIEVAL MIRACLE PLAYS
(London, 1974)

Chemery, P., 'Vegetation;' Eliade, M., THE ENCYCLOPEDIA OF
RELIGION (New York, 1987)

Compte, F., THE WORDSWORTH DICTIONARY OF MYTHOLOGY
(Ware 1994)

Connolly, S., 'Cogitosus's Life of St. Brigit'; JRSAI 117 (1987)

Cooper, Q., and Sullivan, P., MAYPOLES, MARTYRS AND MAYHEM
(London 1994)

Crépin, J., GUIDE DU PÈLERIN A LA CHAPELLE DE SAINTE
BRIGIDE

D'IRLANDE EN LA VILLE DE FOSSES, AU DIOCESE DE NAMUR
(Fosses 1924)

Croker, T.C., RESEARCHES IN THE SOUTH OF IRELAND
(London, 1824)

150

Dames, M., THE AVEBURY CYCLE (London, 1977)

Danaher, K., THE YEAR IN IRELAND (Cork, 1972)

Davidson, H., MYTHS AND SYMBOLS IN PAGAN EUROPE
(Manchester 1988)

De Bhaldraithe, T., CÍN LAE AMHLAOIBH (Baile Átha Cliath, 1976)

Delaney, J., 'Fieldwork in South Roscommon'; Ó Danachair, C., (Ed.);
FOLK AND FARM (Dublin, 1976)

De Smedt, C., et De Backer, J., ACTA SANCTORUM HIBERNIAE
(Edinburgh 1888)

de Vries, J., LA RELIGION DES CELTES (Paris 1977)

Dillon, M., and Chadwick, N., THE CELTIC REALMS (London, 1967)

Dinneen, P., (Eag.); FORAS FEASA AR ÉIRINN (London, 1908)

Duchesne, L., CHRISTIAN WORSHIP; ITS ORIGIN AND
EVOLUTION (Londor 1931)

Elworthy, F., THE EVIL EYE (New York, 1989)

Eogan, G., KNOWTH AND THE PASSAGE TOMBS OF IRELAND
(London 1986)

Evans, E.E., (Ed.), HARVEST HOME (Armagh, 1975)

Evans-Wentz, W.Y., THE FAIRY FAITH IN CELTIC COUNTRIES
(Gerrards Cross, 1977)

Farmer, D.H., THE OXFORD DICTIONARY OF SAINTS (Oxford, 1978)

Farrar, J. and S., EIGHT SABBATHS FOR WITCHES (London, 1981)

Fortescue, A., THE DIVINE LITURGY OF OUR FATHER AMONG
THE SAINTS JOHN CHRYSOSTOM (London, 1908)

Fraser, J., 'The First Battle of Moytura'; ÉRIU VIII, 1-63 (1915)

Frazer, J., THE GOLDEN BOUGH (London, 1923)

Gailey, A., IRISH FOLK DRAMA (Cork, 1969)

Gimbutas, M., THE GODDESSES AND GODS OF OLD EUROPE
(London, 1989)

Gougaud, L., GAELIC PIONEERS OF CHRISTIANITY (Dublin, 1923)

Gray, E., CATH MAIGE TUIRED (Dublin, 1982)

Green, M., DICTIONARY OF CELTIC MYTH AND LEGEND
(London 1992)

Guerber, H., GREECE AND ROME (New York 1986)

Gwynn, A., and Hadcock, R., MEDIEVAL RELIGIOUS HOUSES,
IRELAND (London 1970)

Gwynn, E., THE METRICAL DINDSHENCHUS (Dublin, 1906)

Gwynn, E., (Ed.); THE RULE OF TALLAGHT; Hermathena, No. XLIV,
Second Supplemental Volume (Dublin, 1927)

Happé P., (Ed.); ENGLISH MYSTERY PLAYS (Penguin Books, 1975)

Harrison, J., THEMIS: A STUDY OF THE SOCIAL ORIGINS
OF GREEK RELIGION (London, 1989)

Hastings, J., ENCYCLOPEDIA OF RELIGION AND ETHICS
(Edinburgh, 1909)

Hazlitt, W., DICTIONARY OF FAITHS AND FOLKLORE (London 1995)
Henderson, C., SURVIVAL OF BELIEF AMONG THE CELTS
(Glasgow, 1911)
Hennessy, W., and Kelly, D., (Editors); THE BOOK OF FENAGH
(Dublin, 1875)
Henry, F., LA SCULPTURE IRLANDAISE PENDANT LES DOUZE
PREMIERS SIÈCLES DE L'ÈRE CHRÉTIENNE (Paris, 1933)
Henry, F., IRISH ART IN THE EARLY CHRISTIAN PERIOD (to 800
A.D.); (London, 1965)
Hole, C., A DICTIONARY OF BRITISH FOLK CUSTOMS (London, 1978)
James, E.O., SEASONAL FEASTS AND FESTIVALS (London, 1961)
Johns, C.A., FLOWERS OF THE FIELD (London, 1916)
Jones, G., and Jones, T., THE MABINOGION (London, 1949)
Joyce, P., A SMALLER SOCIAL HISTORY OF ANCIENT IRELAND
(Dublin 1908)
Kenney, J.F., THE SOURCES FOR THE EARLY HISTORY
OF IRELAND (New York, 1929)
Killanin, Lord., and Duignan, M.V., THE SHELL GUIDE TO IRELAND
(London, 1976)
Killip, M., THE FOLKLORE OF THE ISLE OF MAN (London, 1986)
Knott, E., (Eg.); TOGAIL BRUIDNE DA DERGA (Dublin 1936)
Knowles, D., THE MONASTIC CONSTITUTIONS OF LANFRANC
(London, 1951)
Lang, A., THE MAID OF FRANCE (London, 1908)
Leask, H.G., GLENDALOUGH, NATIONAL MONUMENTS (Dublin)
Lempriere, J., A CLASSICAL DICTIONARY (London 1886)
Le Roux, F., et Guyonvarch, C., LES DRUIDES (Rennes, 1982)
Lietzmann, H., LITURGISCHE TEXTE; ORDO MISSAE ROMANUS ET
GALLICANUS (Berlin 1935)
Lincoln, B., DEATH, WAR AND SACRIFICE (Chicago, 1991)
Logan, P., THE HOLY WELLS OF IRELAND (Gerrards Cross, 1980)
Lucas, A.T., PENAL CRUCIFIXES (Dublin, 1958)
Macalister, R., (Ed.); LEBOR GABÁLA ÉRENN, Part III, (Dublin 1940)
Mac Cana, P., CELTIC MYTHOLOGY (London, 1970)
MacCulloch, J.A., THE RELIGION OF THE ANCIENT CELTS
(London, 1991)
MacDonald, I., SAINT BRIDE (Edinburgh, 1992)
Mac Giolla Chomhaill, A., NAOMH BRÍD, MUIRE NA nGAEL
(Baile Átha Cliath, 1984)
MacLysagh, E., IRISH LIFE IN THE SEVENTEENTH CENTURY
(Dublin 1939)
MacNeill, M., THE FESTIVAL OF LUGHNASA (Dublin, 1982)
Mac Philibin, L., MISE PÁDRAIG (Baile Átha Cliath 1960)

Mann, N., GLASTONBURY TOR (Annenterprise Publications 1986)

Martene, E., TRACTALIS DE ANTIQUA ECCLESIAE DISCIPLINA IN DIVINIS CELEBRANDIS OFFICIIS (Lugduni M.D. CCVI)

McCone, K., 'Bríd Chill Dara', LÉACHTAÍ CHOLM CILLE XII (1982), 30-92

McCone, K., PAGAN PAST AND CHRISTIAN PRESENT IN EARLY IRISH LITERATURE (Maynooth, 1990)

McNeill, M., THE SILVER BOUGH, A CALENDAR OF SCOTTISH NATIONAL FESTIVALS (Glasgow, 1959/1961)

Martimort, A., L'ÉGLISE EN PRIÈRE (Tournai, 1961)

MARTYROLOGIUM ROMANUM (Roma 1930)

Mason, T.H., 'St. Brigid's Crosses', JRSAI LXXV (1945), 160-166

Meyer, K., FIANAIGECHT (Dublin 1910)

Michell, J., NEW LIGHT ON THE ANCIENT MYSTERY OF GLASTONBURY (Glastonbury 1990)

Migne, J.P., PATROLOGIAE LATINAE CURSUS COMPLETUS (Petit-Moutrouge, 1849)

Miles, C., CHRISTMAS CUSTOMS AND TRADITIONS (New York 1976)

MISSALE ROMANUM (Roma, 1970)

Murphy, G., DUANAIRE FINN, Vol. 3 (Dublin, 1953)

Murphy, G., EARLY IRISH LYRICS (Oxford, 1956)

Mueller, M., ST. CAESARIUS OF ARLES, SERMONS (Catholic University of America Press, 1973)

Nic Dhonnchadha, L., (Ed.); AIDED MUIRCHERTAIG MEIC ERCA (Dublin 1964)

Ní Shéaghdha, N., agus Ní Mhuirgheasa, M., TRÍ BRUIDNE (Baile Átha Cliath, 1941)

Nuttall, P., A CLASSICAL AND ARCHEOLOGICAL DICTIONARY (London 1840)

O'Brien, M., 'The Old Irish Life of St. Brigid'; IRISH HISTORICAL STUDIES; Vol.1 (1938)

Ó Catháin, S., THE FESTIVAL OF BRIGIT (Baile Átha Cliath 1995)

Ó Céileachair, D., SGÉAL MO BHEATHA (Baile Átha Cliath 1948)

Ó Corráin, D., and Maguire, F., GAELIC PERSONAL NAMES (Dublin 1981)

O'Curry, E., LECTURES ON THE MANUSCRIPT MATERIALS OF ANCIENT IRISH HISTORY (Dublin 1878)

Ó Danachair, C., (Ed.); FOLK AND FARM (Dublin, 1976)

O'Donovan, J., ANNÁLA RÍOGHACHTA ÉIREANN; ANNALS OF THE KINGDOM OF IRELAND BY THE FOUR MASTERS (Dublin, 1856)

O'Donovan, J.D. (Ed.); LEABHAR NA gCEART OR THE BOOK OF RIGHTS (Dublin 1847)

Ó Duilearga, S., (Lag.); LEABHAR SHEÁIN Í CHONAILL
    (Baile Átha Cliath, 1978)
Ó Duirin, S., FORBHAIS DROMA DÁMHGHÁIRE (Corcaigh 1992)
Ó Fiaich, T., GAELSCRÍNTE I gCÉIN (Baile Átha Cliath, 1960)
Ó Floinn, T., agus Mac Cana, P., SCÉALAÍOCHT NA RÍTHE (Baile
    Átha Cliath, 1956)
Ogilvie, R.M., THE ROMANS AND THEIR GODS (London, 1969)
O'Grady, S., SILVA GADELICA (London, 1892)
O'Hanlon, J., LIVES OF THE IRISH SAINTS (Dublin 1875)
Ó hAodha, D., (Ed.); BETHU BRIGTE (Dublin 1978)
Ó hÓgáin, D., MYTH, LEGEND AND ROMANCE: AN
    ENCYCLOPAEDIA OF IRISH FOLK TRADITION (New York, 1991)
Ó Laoghaire, D., ÁR bPAIDREACHA DÚCHAIS
    (Baile Átha Cliath, 1975)
O'Meara, J., TOPOGRAPHY OF IRELAND, GIRALDUS CAMBRENSIS
    (Dundalk 1951)
Ó Muirgheasa, E., 'The Holy Wells of Donegal'; BÉALOIDEAS
    (Nodlaig, 1936) 143-162
Ó Nualláin, S., A SURVEY OF THE STONE CIRCLES OF CORK
    AND KERRY (Dublin, 1984)
Opie, I., and Tatem, M., (Editors); A DICTIONARY
    OF SUPERSTITIONS (Oxford, 1992)
Opie, I., THE SINGING GAME (Oxford, 1988)
O'Rahilly, C., TÁIN BÓ CUALNGE (Dublin, 1967) (TBC)
O'Rahilly, T., EARLY IRISH HISTORY AND MYTHOLOGY (Dublin, 1946)
Ó Riain, P., (Eag.); CATH ALMAINE (Dublin, 1978)
Orpen, G., 'Aenach Carmen; its Site', JRSAI XXXVI (1906)
O'Sullivan, J.C., 'St. Brigid's Crosses': FOLK LIFE, XI (1973)
Ó Súilleabháin, S., A HANDBOOK OF IRISH FOLKLORE (Dublin, 1942)
Ó Súilleabháin, S., 'An Crios Bríde'; Gailey, A., and Ó hÓgáin, D.,
    (Eds.); GOLD UNDER THE FURZE (Dublin, 1982)
Penfick, N., PRACTICAL MAGIC IN THE NORTHERN TRADITION
    (Wellingborough, 1989)
Plummer, C., BETHADA NAEM nERENN; LIVES OF IRISH SAINTS
    (Oxford, 1922)
Porteous, C., THE ANCIENT CUSTOMS OF DERBYSHIRE (Derby,
    undated)
Powers Coe, P., 'The Severed Head in Fenian Tradition'; FOLKLORE
    AND MYTHOLOGY, 13 (1989), 17-41
Puhvel, J., COMPARATIVE MYTHOLOGY (Baltimore 1989)
Rawlinson, G., (Ed.); HERODOTUS; PERSIAN WARS (New York, 1942)
Rees, A., and B., CELTIC HERITAGE (1961) (Reprint: London, 1976)
Ross, A., EVERYDAY LIFE OF THE PAGAN CELTS (London 1972)

Ryan, E.G., NEW CATHOLIC ENCYCLOPEDIA (Washington, 1966)
THE SARUM MISSAL IN ENGLISH (London, 1868)
Schilling, R., 'Vesta'; THE ENCYCLOPEDIA OF RELIGION (New York, 1987)
Schulte, A.J., CONSECRANDA (New York, 1906)
Shah, I., ORIENTAL MAGIC (St. Albans, 1973)
Smith, W., A SMALLER DICTIONARY OF GREEK AND ROMAN ANTIQUITIES (London 1953)
Smyth, A., CELTIC LEINSTER (Irish Academic Press 1982)
Southern, R., THE SEVEN AGES OF THE THEATRE (London 1985)
Spence, L., BRITISH FAIRY ORIGINS (Wellingborough, 1981)
Sterckx, C., UNE FORMULE PAIENNE DAN DES TEXTES CHRÉTIENS DE L'IRLANDE ANCIENNE (Études Celtiques XIV (1974-75) 229-233
Stewart, R., THE WATERS OF THE GAP (Bath, 1989)
Stevenson, K., 'The Origins and Development of Candlemas: a Struggle for Identity and Coherence' EPHEMERIDES LITURGICAE 102 (1988) 316-346
Stokes,W., and Windisch, E., AGALLAMH NA SENÓRACH (Leipzip, 1900)
Stokes, W., FEILIRE ÓENGUSSO CÉILE DÉ; THE MARTYROLOGY OF OENGUS THE CULDEE (London, 1905)
Stokes,W., THE TRIPARTITE LIFE OF PATRICK (London 1887)
Stokes,W., THREE IRISH GLOSSARIES (London, 1862)
Stokes,W., (Ed.); THREE MIDDLE-IRISH HOMILIES ON THE LIVES OF SAINTS PATRICK, BRIGIT AND COLUMBA (Calcutta, 1877)
Stokes, W., and Strachan, J., THESAURUS PALAEOHIBERNICUS (Cambridge, 1903)
Streit, J., SUN AND CROSS (Edinburbh 1984)
Stutley, M. and J., A DICTIONARY OF HINDUISM, (London, 1977)
Taylor, D., SINGING RHYMES (Loughborough, 1979)
Taylor, I., THE GIANT OF PENHILL (Dunnington, 1987)
Thurneysen, R., (Ed.); SCÉLA MUCCE MEIC DATHÓ (Dublin 1935)
Tierney, J., THE CELTIC ETHNOGRAPHY OF POSIDONIUS (Dublin, 1984)
Tommasini, A., IRISH SAINTS IN ITALY (London, 1937)
Ua Muirgheasa, E., SEANFHOCLA ULADH (Baile Atha Cliath 1907)
Vallency, Col., ESSAY ON THE ANTIQUITY OF THE IRISH LANGUAGE (Dublin, 1781)
Van Hamel, A.G., COMPERT CON CULAINN (Dublin, 1933)
Varagnac, A., et Chollot-Varagnac, M., LES TRADITIONS POPULAIRES (Paris, 1978)
Vendryes, I., (Ed.); AIRNE FÍNGEIN (Dublin 1953)

Webb, D.A., AN IRISH FLORA (Dundalk, 1943)

White, N., LIBRI SANCTI PATRICII (London 1918)

Whitlock, R., A CALENDAR OF COUNTRY CUSTOMS (London, 1978)

Wilde, W., IRISH POPULAR SUPERSTITIONS (1852); (Reprint: Shannon, 1972)

Wilde, Lady, ANCIENT LEGENDS OF IRELAND (London 1888)

Wormald, F., ENGLISH KALENDARS BEFORE A.D. 1100 (London, 1934)

Wormald, F., ENGLISH BENEDICTINE KALENDARS AFTER A.D. 1100 (London, 1946)

WOSIEN, M., SACRED DANCE (London, 1974)

Wright, T., THE HISTORICAL WORKS OF GIRALDUS CAMBRENSIS (London, 1887)

Zaehner, R., HINDU SCRIPTURES (London, 1978)

IFC =   lámhscríbhinn de chuid Choimisiúin Bhéaloideas Éireann Department of Irish Folklore, University College Dublin.

IRISÍ: BÉALOIDEAS

ÉIGSE, A Journal of Irish Studies

EPHEMERIDES LITURGICAE

ÉRIU

JOURNAL of the CORK HISTORICAL AND ARCHAEOLOGICAL SOCIETY (JCHAS)

JOURNAL OF THE ROYAL SOCIETY OF ANTIQUARIES OF IRELAND (JRSAI)

LA MAISON DIEU (LMD)

PROCEEDINGS of the ROYAL IRISH ACADEMY (PRIA)

REVUE CELTIQIJE (RC)

INNÉACS